ALLEZ LES GALLOIS!

Allez Les Gallois!

Daniel Davies

Diolch i fy mam, Hannah Mary Davies a'm chwaer, Jennifer Davies am eu cefnogaeth.

Hoffwn ddiolch i Dafydd Tudor am aberthu ei hun drwy deithio i Ffrainc a rhannu ei wybodaeth.

Hefyd, diolch i Wasg Carreg Gwalch am gefnogi'r syniad ac i'r golygydd Nia Roberts am ei brwdfrydedd.

Yn olaf, diolch i Snwff am rannu'r daith gyda fi.

Ni fyddai'r gyfrol hon yn bodoli heblaw am lwyddiant tîm pêl-droed Cymru. Diolch.

Argraffiad cyntaf: 2016
ⓗ testun: Daniel Davies 2016

Rhif Llyfr Safonol Rhyngwladol:
978-1-84527-598-3

Cyhoeddwyd gyda chymorth Cyngor Llyfrau Cymru

Cynllun y clawr: Adran Ddylunio Cyngor Llyfrau Cymru

Cyhoeddwyd gan Wasg Carreg Gwalch,
12 Iard yr Orsaf, Llanrwst, Dyffryn Conwy, Cymru LL26 0EH.
Ffôn: 01492 642031
Ffacs: 01492 642502
e-bost: llyfrau@carreg-gwalch.com
lle ar y we: www.carreg-gwalch.com

Argraffwyd a chyhoeddwyd yng Nghymru

Cyflwynaf y nofel hon i fy nghymar a'm ffrind gorau
Linda Griffiths.

Gorau chwarae cyd-chwarae.

Cymdeithas Bêl-droed Cymru

Fans.
Remember you are abroad
Remember the police are rough.

The Fall, Kicker Conspiracy

Rhan I

Bordeaux
Nos Iau 9 Mehefin 2016

1.

Sylla cannoedd o bobl ar yr haul yn machlud dros y Sianel rhwng Ffrainc a Lloegr.

Edrychwch ar yr wynebau hagr sydd wedi dioddef cymaint dros y blynyddoedd.

Sbïwch arnynt oll yn sefyll yn llipa gan awchu am ddihangfa o'u bywydau diflas.

Craffwch yn fanylach ar eu hwynebau.

Oes 'na ambell ddeigryn yn cronni yn eu llygaid?

Dyma bobl sydd wedi teithio cannoedd o filltiroedd a thyrru i'r porthladd yn y gobaith o groesi'r môr a phrofi bywyd gwell.

Dyma ddilynwyr tîm pêl-droed cenedlaethol Cymru.

Ddeuddeng awr yn ddiweddarach, roedd y cefnogwyr bron â gorffen y daith fferi o Portsmouth a fyddai'n cyrraedd St Malo toc wedi wyth o'r gloch y bore. Ar ôl glanio, byddai'r pererinion yn teithio ar drên neu'n gyrru eu ceir, eu camperfaniau a'u carafannau tuag at y Man Sanctaidd. Bordeaux. Y ddinas lle byddai Cymru yn herio Slofacia yn eu gêm gyntaf yng nghystadleuaeth bêl-droed Ewrop am chwech o'r gloch nos Sadwrn.

Ond roedd un Cymro'n anhapus iawn wrth iddo deithio ar y cwch yng nghwmni ei wraig, Delyth, y bore hwnnw.

Rhoddodd Les Welsh, 53 mlwydd oed, y gorau i'w swydd yn athro gwaith metel a gwaith coed yr haf cynt, gan dderbyn cynnig yr awdurdod lleol i ymddeol yn gynnar – penderfyniad a olygai y byddai'n rhaid i Delyth ddal ati i weithio yn athrawes gyflenwi am flynyddoedd eto er mwyn cadw'r blaidd o'r drws. Roedd Les, felly, wedi penderfynu gwobrwyo'i wraig am fod yn gefn iddo y gaeaf cynt. Trefnodd dair wythnos o wyliau carafanio yn Ffrainc dros yr haf i ddathlu pen-blwydd Delyth yn hanner cant ar yr ugeinfed o Fehefin.

Bu Les wrthi'n ddyfal yn ystod y gaeaf yn gwneud gwaith cynnal a chadw ar y garafán ac yn treulio'r nosweithiau'n creu amserlen ar gyfer y daith, a fyddai'n cynnwys wythnos yng ngŵyl enwog y Fête du Vin yn Bordeaux ac ardal y Gironde. Y bwriad, wedi hynny, oedd teithio i ddinas Clermont-Ferrand ar gyrion mynyddoedd y Massif Central gan dreulio cyfnod yng nghartref ffrind coleg Delyth, Manon Belmondo. Yna, byddai Les a Delyth yn treulio tridiau ym Mharis cyn teithio i'r gogledd i ardal Arras, gan ymweld â bedd tad-cu Les, a gafodd ei ladd ar ddiwrnod cyntaf brwydr y Somme ar y cyntaf o Orffennaf 1916.

Ond roedd brwdfrydedd Les wedi pylu'n arw yn ystod yr oriau diwethaf, wrth iddo sylweddoli y byddai ei wyliau tawel yn yfed Claret yn Bordeaux dros yr wythnos ganlynol yn cael ei ddifetha gan y fyddin o Gymry meddw oedd wedi treulio'r noson yn yfed a chanu ar y fferi.

Roedd Les Welsh wedi esgyn i'r dec uchaf i wylio muriau gwenithfaen amlwg tref hynafol St Malo'n dod i'r golwg wrth i'r fferi glosio at y porthladd. Roedd hi'n fore braf o haf heb gwmwl yn yr awyr, a llanwodd Les ei ysgyfaint â'r aer llawn arogl heli. Caeodd ei lygaid a synfyfyrio. Sut oedd ei arwr, Owain Lawgoch, yn teimlo tybed pan laniodd y Mab Darogan yn y wlad am y tro cyntaf i ymuno â byddin Ffrainc, cyn ymladd yn ddewr yn erbyn y Saeson yn ystod y Rhyfel Can Mlynedd, dros 650 o flynyddoedd ynghynt? Safodd Les ym mhen blaen y llong a'i lygaid ar gau am sawl munud hir, yn meddwl am Owain a'i ffawd. Teimlai lonyddwch pur. Doedd dim i'w glywed ond sŵn y fferi'n palu trwy'r tonnau, a'i sniffian ef ei hun o bryd i'w gilydd oherwydd clefyd y gwair.

Pan ddaeth llais dros yr uchelseinydd yn cyhoeddi y dylai teithwyr ddychwelyd i'w ceir cyn glanio, dychwelodd Les yn gyflym at Delyth. Nid oedd am golli eiliad cyn dechrau ar y daith 270 milltir i Mortagne-sur-Gironde i ymweld â'r man lle cafodd Owain Lawgoch ei ladd ar orchymyn coron Lloegr ym mis Gorffennaf 1378.

Agorodd Delyth flwch Tupperware a chymryd brechdan gaws a phicl allan ohono. Roedd Les wedi mynnu bod Delyth yn paratoi brechdanau ar gyfer y daith i osgoi talu crocbris am y bwyd a diod oedd ar werth ar y cwch. Nid oedd Les yn ystyried ei hun yn gybydd ond, yn hytrach, yn un oedd yn ofalus gyda'i arian. Serch hynny, roedd wedi cynnig talu am ran helaeth o'r gwyliau yn Ffrainc pan oedd Delyth yn bryderus am gost y fenter y gaeaf cynt.

Ond pryderai Les y byddai'r gwyliau'n cael ei ddifetha gan bresenoldeb dilynwyr pêl-droed meddw ac uchel eu cloch yn Bordeaux. – Rwy'n deall nawr pam fod Owain Lawgoch wedi ffoi i Ffrainc, meddai Les gan eistedd yn y Citroën Xsara Picasso yn yr hanner tywyllwch ym mherfeddion y cwch, oedd yn hwylio'n araf tuag at y porthladd.

– Pam? gofynnodd Delyth yn ddifeddwl gan baratoi am araith arall am Owain Lawgoch, etifedd olaf teulu brenhinol Gwynedd. Yn ôl Les, hwn oedd y cawr a geisiodd ryddhau ei wlad rhag gormes y Saeson yn ystod y bedwaredd ganrif ar ddeg. – Am mai prif broblem Cymru yw'r Cymry ... sniff sniff, atebodd Les.

– Rwyt ti wedi anghofio dod â dy foddion ar gyfer clwy'r gwair, on'd wyt ti? gofynnodd Delyth yn chwyrn cyn dechrau bwyta'r frechdan.

Amneidiodd Les. Roedd ei drwyn yn llawn a'i lygaid yn dyfrio'n ddi-baid ers hanner awr a rhagor.

– Pam na wnest ti brynu *antihistamines* yn y fferyllfa ym mhorthladd Portsmouth? gofynnodd Delyth.

– Anghofies i, atebodd Les, heb gyfaddef ei fod wedi penderfynu dioddef clefyd y gwair yn ystod y daith am ei fod wedi gweld ar y we fod y moddion yn rhatach o lawer yn Ffrainc.

– Bydd yn rhaid iti brynu moddion ar ei gyfer yn St Malo bore 'ma. Dwi ddim yn mynd i dy ddiodde di'n sniffian am dair wythnos.

Amneidiodd Les ei gydsyniad cyn estyn dros Delyth i gymryd brechdan arall o'r blwch. Wrth iddo wneud hynny cafodd gipolwg ar y dyn oedd yn eistedd yn y cerbyd i'r chwith iddynt. Roedd Les eisoes wedi sylwi ar y camperfan wrth i'r gyrrwr, dyn ifanc gyda barf ddu drwchus, ysblennydd, ei pharcio ger car a charafán Les a Delyth y noson cynt. Roedd y camperfan Volkswagen draddodiadol wedi'i phaentio'n gelfydd â lluniau cartŵn gwych o aelodau tîm Cymru gan gynnwys Gareth Bale, Aaron Ramsey, Ashley Williams a Joe Ledley. Yn wir, edrychai gyrrwr y fan yn hynod o debyg i Joe Ledley.

– Sai'n credu'r peth. Mae hwnna wedi cynnau sigarét. Hollol anghyfreithlon ... sniff sniff ... meddai Les, gan syllu'n hir ar y dyn barfog cyn cymryd hansh o'i frechdan ham a mwstard. Ciledrychodd Delyth ar y dyn am ennyd.

– Mae'n edrych fwy fel sbliff i mi, Les, meddai. Nid oedd yn siarad o brofiad personol ond yn sgil dal degau o blant yn ysmygu cynnyrch gorau Moroco yn ystod ei gyrfa yn athrawes Ffrangeg dros y chwarter canrif diwethaf. Trodd i chwilio am frechdan gaws a phicl arall.

– Ti'n iawn, Delyth. Mae'r hwrgi blewog yn smocio cyffuriau. Dwi'n mynd i'w riportio fe ... sniff, taranodd Les gan ddatod ei wregys diogelwch. Gafaelodd Delyth yn dynn yn ei law chwith.

– Na, dwyt ti ddim, Les. Gad e fod. Dwyt ti ddim yn athro ysgol rhagor. *Live and let live* ... Leslie ... paid â chynhyrfu. Cofia mai dyna pam y bu'n rhaid iti roi'r gore i ddysgu. Mae'r gwyliau 'ma'n gyfle iti ymlacio ... felly ymlacia! meddai'n chwyrn, gan giledrych ar y dyn ifanc unwaith eto.

– Dyw e ddim yn mynd i achosi unrhyw niwed. Mae'r ffenest ar gau ac mae'n bosib ei fod e'n ysmygu sigarét lysieuol ta beth, ychwanegodd, gan godi brechdan a'i chynnig i Les.

– Sigarét lysieuol, myn uffarn i! ... sniff ... sniff oedd ymateb Les cyn cymryd brechdan ham a chaws a'i chnoi fel petai'n cnoi gwddf y dyn barfog.

2.

Ond roedd Delyth yn iawn. Sigarét lysieuol roedd y dyn barfog yn ei hysmygu. Fel llawer o bobl artistig roedd Al Edwards yn cael trafferth gyda'i nerfau am fod ganddo ddychymyg brwd. Ers iddo yrru'r camperfan Volkswagen i berfeddion y cwch, roedd wedi dechrau poeni am y cant a mil o ffyrdd y gallai ef a'i gymar, Rhian James, foddi yn ystod yr oriau nesaf, gan gynnwys ffrwydrad yn y cwt injan, cwch arall yn taro'r fferi ac awyren yn plymio o'r awyr i mewn i'r fferi, neu'r tri'n digwydd ar yr un pryd.

Roedd yr ofn wedi cydio gymaint nes y bu'n rhaid i Rhian geisio lleddfu pryderon Al trwy gynnau'r sigarét lysieuol iddo wrth iddynt aros i'r fferi lanio ym mhorthladd St Malo. Ymhen munud neu ddwy dechreuodd ymlacio wrth iddo dynnu'r mwg i'w ysgyfaint i gyfeiliant sŵn rhythmig injan y fferi.

Roedd Rhian wedi perswadio Al i roi'r gorau i alcohol a chyffuriau yn ystod y flwyddyn cynt am ei bod hi'n grediniol mai dyna pam yr oedd nerfau Al yn rhacs, a chanlyniad hynny oedd ei fod yn colli'i dymer yn rhwydd iawn.

– Mae'r boi 'na yn y Citroën wedi bod yn syllu arna i ers deng munud, meddai Al, gan gymryd cipolwg arall ar y dyn penfoel gyda'r mwstásh bach du oedd yn dal i rythu arno. Tynnodd yn hir ar ei sigarét unwaith eto.

– Mae'r boi 'na'n mynd dan fy nghroen i, Rhian, meddai'n dawel, gan geisio tawelu'r llid oedd yn corddi tu mewn iddo.

– Anghofia amdano, Al. Cau dy lygaid a meddylia am Oli ... meddylia am Oli'r Octopws yn nofio yn yr Ogof Hud. Wyt ti'n gallu gweld Oli?

– Ydw ... Helô Oli, mwmialodd Al o dan ei wynt, gan weld yr octopws yn gwenu wrth nofio tuag ato a'i gofleidio gyda'i wyth tentacl cyn ei gusanu'n dyner.

Roedd Al a Rhian wedi astudio celfyddyd gain gyda'i gilydd ym Mhrifysgol Caerdydd bum mlynedd ynghynt. Roedd gan y ddau gariad angerddol tuag at gartwnau. Blagurodd eu perthynas a phenderfynodd y ddau fyw gyda'i gilydd yn y brifddinas ar ôl graddio. Cawsant y syniad o greu cartwnau ar gyfer plant bach, ac o hynny y deilliodd y cymeriad hoffus hwnnw, Oli'r Octopws. Llwydodd y ddau i ennyn diddordeb cyhoeddwr ac ymhen dwy flynedd roeddent wedi cyhoeddi *Oli'r Octopws a'r Ogof Hud*, *Oli'r Octopws a'r Cimwch Crintachlyd* ac *Oli'r Octopws a'r Morfarch Milain*. Bu'r llyfrau mor llwyddiannus fel y penderfynodd S4C gomisiynu Al a Rhian i drosi'r llyfrau'n gyfres o gartwnau pum munud o hyd ar gyfer gwasanaeth Cyw'r sianel ar y sgrin fach. Roeddent ar ben eu digon ac ar drywydd gyrfa lwyddiannus, ond chwalwyd breuddwydion y ddau pan gollodd Al ei dymer o ganlyniad i'r pwysau gwaith.

Roedd Al a Rhian wedi cwblhau'r gwaith arlunio ar gyfer y gyfres, gan gymryd yn ganiataol mai Al ei hun fyddai llais Oli'r Octopws. Al oedd wedi creu Oli a'i anturiaethau. Doedd neb yn adnabod Oli fel yr oedd Al yn ei adnabod. I bob pwrpas, Al *oedd* Oli'r Octopws. Ond nid oedd cynhyrchydd y gyfres yn cytuno. Teimlai hwnnw nad oedd goslef llais Al 'cweit' yn addas ar gyfer y cymeriad oedd ganddo mewn golwg.

Anghytunodd Al ag ef.

Dywedodd y cynhyrchydd yn blwmp ac yn blaen mai actor profiadol fel Dewi 'Pws' Morris fyddai'n fwyaf addas ar gyfer y rhan.

Anghytunodd Al ag ef.

Esboniodd y cynhyrchydd, yn ôl telerau'r cytundeb, mai ef fyddai'n gwneud y penderfyniad olaf, felly doedd dim y gallai Al ei wneud am y peth.

Anghytunodd Al ag ef.

Eiliadau'n ddiweddarach roedd Al yn gafael yn nhraed y

cynhyrchydd, oedd yn hongian allan o ffenest ail lawr y cwmni ac yn syllu ar y palmant hanner can troedfedd oddi tano.

O ganlyniad i ymateb ffyrnig Al i'r anghydfod creadigol hwn, canslwyd y gyfres ar y ddealltwriaeth na fyddai'r sianel byth yn comisiynu gwaith Al a Rhian eto. Yn ogystal, cafwyd Al yn euog o ymosod ar y cynhyrchydd, a chafodd ddedfryd ohiriedig o 12 mis. Petai Al yn ymosod ar unrhyw un arall yn y cyfamser, byddai'n wynebu cyfnod yn y carchar. Yn waeth na hynny, roedd Rhian wedi dweud wrth ei chymar nad oedd yn fodlon byw gyda rhywun treisgar. Serch hynny, penderfynodd roi un cynnig olaf iddo am nad oedd wedi ymddwyn fel yna erioed o'r blaen. Derbyniodd esboniad Al mai pwysau gwaith oedd wedi achosi ei ymddygiad treisgar, paranoid.

Penderfynodd Al a Rhian ddefnyddio'r rhan fwyaf o'u cynilion i brynu camperfan. Ceisiodd y ddau wneud y gorau o'r sefyllfa, gan deithio i Ffrainc ar fenter fusnes newydd. Roeddent yn gobeithio gwneud digon o elw yn Ffrainc yn ystod yr wythnosau canlynol i ddechrau eu cwmni cynhyrchu eu hunain, a gwerthu Oli'r Octopws i gwmnïau teledu y tu allan i Gymru.

– Beth mae Oli'n ei ddweud wrthot ti, Al? gofynnodd Rhian.

– Mae'n dweud bod y boi 'na'n dal i edrych arna i, Rhian, atebodd Al, oedd erbyn hyn yn rhythu'n ôl ar y dyn penfoel gyda'r mwstásh.

3.

Eisteddai dyn yn ei ddeugeiniau cynnar o'r enw Terry O'Shea yng nghwmni dyn ifanc un ar hugain mlwydd oed o'r enw Emyr Owen yn y camperfan Ace Capri 500 a oedd wedi'i pharcio y tu ôl i garafán Les a Delyth Welsh. Ar yr olwg gyntaf, edrychai Terry ac Emyr fel dau aelod o'r garfan o gefnogwyr oedd yn bwriadu treulio'r deng niwrnod canlynol yn teithio o amgylch Ffrainc, yn dilyn gornestau tîm pêl-droed Cymru yn erbyn Slofacia yn Bordeaux, Lloegr yn Lens a Rwsia yn Toulouse.

Roedd baneri Cymru wedi'u gosod ar y bonet ac ar ddrysau cefn y camperfan, ac roedd y ddau'n gwisgo crysau pêl-droed eu tîm cenedlaethol. Ond nid dilynwyr pêl-droed oedd Terry ac Emyr mewn gwirionedd. Roeddent wedi teithio i Ffrainc i weithredu cytundeb busnes ar ran cyflogwr Terry, sef Steffan Zelezki, ewythr Emyr.

Roedd Terry wedi gweithio i Steffan Zelezki yn Llundain a Monaco ers pum mlynedd bellach, gan ddechrau'n fuan ar ôl iddo adael Lleng Dramor Ffrainc yn dilyn pymtheng mlynedd o wasanaeth. Ei brif swydd oedd gwarchod gwraig Mr Zelezki, Ann, ond bu Ann farw yn dilyn damwain sgio yn Gstaad bedwar mis ynghynt. Gorchwyl newydd Terry felly oedd gwarchod nai un ar hugain mlwydd oed Mr Zelezki, sef Emyr Owen, a etifeddodd arian a chyfrifoldebau ei fodryb fel cyd-gyfarwyddwr cwmnïau Zelezki Enterprises.

– Mae Emyr wedi gorfod dygymod â thipyn yn ystod y misoedd diwethaf … meddai Steffan Zelezki wrth Terry dridiau ynghynt yn ei swyddfa yn Canary Wharf.

– Colli ei fodryb, oedd i bob pwrpas yn fam iddo … gorfod canolbwyntio ar gwblhau'i astudiaethau yn y brifysgol … a dechrau gweithio gyda fi, ychwanegodd, gan wenu'n gam cyn rhoi tri phâr o docynnau ar gyfer gemau Cymru yn Bordeaux, Lens a Toulouse i'r cyn-filwr.

– Dwi'n gwybod ei fod yn hoffi pêl-droed. Felly dwi wedi cael gafael ar docynnau ar gyfer gemau Cymru. Mi fydd yn gyfle iddo fwynhau ei hun yn Ffrainc a cheisio anghofio am helbulon y misoedd diwethaf.

Safodd Terry'n dawel o flaen ei gyflogwr, gan wybod nad oedd hwnnw wedi gorffen llefaru.

– Dwi hefyd am iddo ddechrau cwrdd â rhai o'm cysylltiadau busnes o Rwsia, Terry. Cysylltiadau pwysig iawn. Felly, dwi wedi gofyn iddo drafod cynllun busnes gydag un o fy ffrindiau yn Toulouse cyn y gêm yn erbyn Rwsia ar yr ugeinfed o Fehefin. Dwi wedi dweud wrth Emyr y bydd y cyswllt, sydd am fod yn anhysbys am y tro, yn cwrdd ag e y tu allan i Gât A y stadiwm am wyth o'r gloch y noson honno, meddai Steffan, cyn ychwanegu – Mi allai'r cynllun busnes yma fod yn fuddiol i Emyr ... i mi ... ac i ti.

– Beth y'ch chi am i mi ei wneud, syr? gofynnodd Terry, gan edrych yn syth o'i flaen.

–Dwi wedi prynu anrheg i Emyr ar gyfer y daith. Camperfan. Dim byd rhy grand. Yr Ace Capri 500 ... rhywbeth tebyg i'r math y bydd dilynwyr Cymru'n teithio ynddyn nhw i Ffrainc ar gyfer yr Ewros. Dyw Emyr ddim yn gwybod am y rhan yma o'r cynllun, ond ar ôl i chi gwrdd â'r Rwsiaid yn Toulouse, mi fyddi di'n gyrru'r camperfan yn ôl i Gymru ymhlith holl gerbydau eraill dilynwyr Cymru, ar ôl i'r tîm pêl-droed gael ei fwrw allan o'r bencampwriaeth, eglurodd Steffan, gan gymryd yn ganiataol na fyddai Cymru'n cyrraedd y rowndiau terfynol. – Mi fydd yr awdurdodau'n llai tebygol o amau felly dy fod ti'n cludo nwyddau yn *bulkhead* y fan.

– Ga i ofyn pa fath o nwyddau, syr? gofynnodd Terry'n gwrtais.

– Dwi'n gwybod dy fod ti'n ddyn moesol, Terry. Paid â phoeni. Nid cyffuriau fyddi di'n eu cludo'n ôl o'r cyfandir ... ond cafiâr. Cafiâr Beluga, i fod yn fanwl gywir, meddai Steffan gan godi ar ei draed. – Mae fy nghysylltiadau Rwsiaidd i yn Llundain yn sentimental iawn am y famwlad ac yn fodlon talu crocbris am gafiâr Beluga ... sy'n werth crocbris ta beth.

– Beth yw'r broblem felly?

– Y broblem yw bod cafiâr Beluga'n brin iawn yn sgil gorbysgota yn Rwsia. O ganlyniad dyw Llywodraeth Prydain ddim yn caniatáu i bobl fewnforio mwy na 125g y pen i'r wlad. Mae fy nghyswllt i yn Toulouse yn gallu mewnforio'r cafiâr i Marseille ... ond fi sy'n gyfrifol am ei fewnforio i Brydain ar gyfer partïon yr oligarchiaid sy'n byw yn Llundain.

– Faint ydych chi'n bwriadu'i fewnforio? gofynnodd Terry'n dawel.

– Gallwn guddio tua 80 cilo yn y fan heb i swyddogion y tollau sylweddoli. Bydd y cafiâr yn costio tua 200,000 Ewro.

– A'r elw?

– Alla i werthu'r cafiâr am tua 1.5 i 2 filiwn Ewro.

Amneidiodd Terry cyn gofyn – A beth fydd yn digwydd i Emyr a finne os cawn ni'n dal?

– Fydd Emyr ddim yn cael ei ddal, oherwydd mi fydd e'n hedfan yn ôl i Gymru ar ôl cwrdd â'r Rwsiaid. Dim ond ti, Terry, fydd yn gyrru'r fan yn ôl i Gymru. Ond i ateb dy gwestiwn ... saith mlynedd o garchar ... allan ymhen tair.

Amneidiodd Terry ei ddealltwriaeth.

– Os byddi di'n cytuno i wneud y gwaith mi gei di £100,000.

– A faint mae Emyr yn ei wybod am hyn? gofynnodd Terry, cyn rhoi ei ymateb i'r cynnig.

– Dwi wedi penderfynu cyflwyno Emyr i'r busnes yn araf, fesul tipyn ... ac yn arafach fyth i'm dulliau o weithio. Mae e'n meddwl bod y cyfarfod yn ymwneud â'i syniad e i greu elusen ryngwladol i helpu plant amddifad. Dwyt ti ddim i ddweud gair wrtho am hyn, meddai Steffan gan wenu.

Amneidiodd Terry ei ddealltwriaeth eto.

– O'r gorau, syr.

– Doedd dim dewis 'da ti ta beth.

– Rwy'n gwybod, syr.

Roedd Terry'n teimlo'n anesmwyth am y cynllun gan nad oedd yn ymddiried yn llwyr yn ei gyflogwr. Serch hynny, cytunodd i gymryd rhan oherwydd bod Steffan yn ymwybodol y byddai ennill £100,000 yn golygu y gallai roi'r gorau i'w waith. Roedd wedi mwynhau gweithio i Ann Zelezki, ond roedd Steffan yn greadur hollol wahanol. Gwyddai Terry fod Emyr Owen yn ddyn ifanc dymunol a thosturiai wrtho er ei fod, yn ôl pob sôn, wedi etifeddu tair miliwn o bunnoedd gan ei fodryb.

Gwenodd Terry wrth i'r fferi gyrraedd St Malo. Roedd wedi sylwi am y tro cyntaf ers iddynt adael Caerdydd y diwrnod cynt fod gan Emyr degan meddal draig goch ar ddashfwrdd yr Ace Capri 500.

– Dwyt ti ddim yn rhy hen i hwn? chwarddodd, gan gyfeirio at y tegan.

– Dim ond rhywbeth roddodd Wncwl Steffan i mi fel lwc dda ar gyfer y siwrne, meddai Emyr mewn ffordd ffwrdd â hi, gan obeithio na fyddai Terry'n rhoi mwy o sylw i'r tegan. Y gwir oedd bod Emyr yn gwybod bod 200,000 Ewro mewn papurau 500 Ewro ym mol y ddraig goch. Yn ôl Steffan Zelezki, cyfraniad i'r elusen roedd y cyswllt busnes yn Toulouse wrthi'n ei sefydlu oedd yr arian. Roedd wedi erfyn ar Emyr i beidio â dweud gair am yr arian wrth Terry yn ystod y daith i Toulouse.

– Gobeithio'n wir y bydd y ddraig goch yn dod â lwc i ni, meddai Terry gan feddwl am y cynllun i fewnforio cafiâr o Ffrainc i Brydain.

Dydd Gwener 10 Mehefin

4.

Bwriad Les Welsh oedd cyrraedd Mortagne-sur-Gironde erbyn canol y prynhawn i ymweld â chofeb Owain Lawgoch. Yn ôl ei amserlen, mi fyddai Delyth ac yntau'n swpera yn y pentref glan môr cyn teithio'r trigain milltir olaf i'r maes gwersylla y tu allan i Bordeaux lle'r oedd Les wedi trefnu, chwe mis ynghynt, iddyn nhw aros.

Hanner awr yn ddiweddarach teimlai Les braidd yn anniddig. Bu llif y cerbydau oddi ar y cwch yn araf am fod cymaint o ddilynwyr Cymru wedi teithio i Ffrainc dros nos. Nhw a'u fflagiau di-ri a'u crysau coch, oedd yn fodlon gwario ffortiwn i ddilyn y tîm pêl-droed, ond oedd yn gwneud dim i ennill annibyniaeth i'r famwlad, meddyliodd Les.

Teimlai Delyth hyd yn oed yn fwy anniddig am fod Les wedi dechrau sniffian yn ddi-baid wrth i'r paill effeithio fwyfwy arno yn ystod y bore.

Ymhen hir a hwyr, tro Les oedd hi i stopio gyda'i gar a'r garafán o flaen swyddog Adran Tollau Tramor a Chartref Ffrainc. Estynnodd basbort y ddau ohonynt i'r swyddog.

Gwenodd yn gwrtais a dweud – *Bonjour, monsieur*, gan obeithio y byddai'n gadael iddyn nhw ddechrau ar eu taith heb unrhyw drafferth.

Ond yn anffodus i Les, roedd yn dal i sniffian wrth gyfarch y swyddog. Edrychodd hwnnw'n ddifrifol arno cyn gwenu a gofyn i Les, yn Saesneg, gamu allan o'r car.

– Ond pam? Mae gen i amserlen dynn heddiw. Rwy am gyrraedd Mortagne-sur-Gironde erbyn tri o'r gloch, protestiodd Les, gan edrych ar ei watsh a sniffian yn uchel unwaith yn rhagor.

– Gwna beth mae e'n ddweud wrthot ti, Les, ysgyrnygodd Delyth, ac ufuddhaodd Les, gan sniffian ddwywaith eto.

Yn sydyn, aeth y swyddog ar ei gwrcwd ac edrych yn syth i fyny trwyn Les.

– Beth sy'n mynd ymlaen? gofynnodd Les.

– Mae gennych chi septwm tenau ... Monsieur Welsh ... septwm tenau iawn a dweud y gwir, meddai'r swyddog yn Saesneg, gan droi a chwifio'i fraich. Ymunodd swyddog arall ag ef. Aeth hwnnw hefyd ar ei gwrcwd ac edrych i fyny trwyn Les, cyn troi at ei gyfaill ac amneidio arno.

Erbyn hyn roedd Delyth wedi camu allan o'r car i ymuno â'r tri, a gofynnodd i'r swyddogion yn eu hiaith frodorol beth oedd y broblem. Atebodd y swyddog cyntaf hi, a throdd Delyth yn ôl at ei gŵr.

– Maen nhw'n amau ein bod ni'n mewnforio cyffuriau, Les.

– Ond pam?

– Am fod pobl sy'n gaeth i gocên yn tueddu i sniffian drwy'r amser. Maen nhw'n amau dy fod yn cymryd cocên am fod dy septwm di'n denau iawn.

– Septwm?

– Y darn sy'n rhannu dy ddwy ffroen, Les.

– Dweda wrthyn nhw mai clefyd y gwair sydd arna i, Delyth ... ac mai cyd-ddigwyddiad yw e bod gen i septwm tenau, mynnodd Les gan edrych o'i gwmpas yn wyllt.

Ceisiodd Delyth esbonio'r sefyllfa i'r swyddogion, ac yn

dilyn sgwrs arall â'r swyddogion tollau trodd Delyth yn ôl at Les drachefn.

– Maen nhw'n gofyn ble mae dy *antihistamines* di, i leddfu'r clefyd, meddai'n chwyrn.

– Rwy wedi'u hanghofio nhw, Del. Ti'n gwybod hynny. Delyth, dweda wrthyn nhw!

– Rwy wedi dweud wrthyn nhw ... a nawr mae'n rhaid inni fynd gydag un o'r swyddogion tra bydd y llall yn gyrru'r car a'r garafán i'r sied draw fanco i'w harchwilio.

– Mae hyn yn wallgo, meddai Les gan edrych ar ei watsh. Trodd a gweld Al Edwards a Rhian James yn eistedd yn eu camperfan oedd yn y rhes y hir y tu ôl i garafán Les a Delyth.

Cythruddwyd Les pan welodd Al yn siglo'i ben yn araf o'r naill ochr i'r llall wrth i'r swyddog gymryd ei fraich a'i dywys i swyddfa gyfagos.

– Pam y'ch chi'n archwilio rhywun dieuog fel fi pan mae pobl fel *fe*'n smocio cyffuriau ar y cwch? taranodd Les, gan bwyntio'i law rydd at Al Edwards.

– Pwy? Fe? gofynnodd y swyddog.

– Ie. Fe. Synnen i fochyn fod y camperfan 'na'n llawn cyffuriau, gwaeddodd Les wrth iddo gael ei dywys i ffwrdd.

Syllodd Al a Rhian ar Les a Delyth yn cael eu tywys i swyddfa'r Adran Dollau.

– Ro'n i'n gwybod bod rhywbeth yn od am y boi 'na. Roedd ei lygaid yn rhy agos at ei gilydd, meddai Al yn hunangyfiawn, gan wylio'r swyddog oedd yn tywys y ddau i'r swyddfa yn siarad gyda swyddog arall.

Ddwy funud yn ddiweddarach roedd Al a Rhian yn cael eu tywys i'r un swyddfa.

– Dwi'n gwbl ddieuog! Dwi ddim wedi gwneud dim o'i le, gwaeddodd Al.

– Pwylla, Al! Pwylla! Meddylia am Oli'r Octopws ... plediodd Rhian.

Roedd Terry O'Shea ac Emyr Owen yn gwylio'r digwyddiad yn ddiemosiwn yn yr Ace Capri 500 oedd yn y ciw y tu ôl i gamperfan Al a Rhian. Ddwy funud yn ddiweddarach gadawodd swyddogion y tollau y ddau i mewn i Ffrainc heb unrhyw drafferth, ac roedd cynllun aml-filiwn Steffan Zelezki i fewnforio cafiâr Beluga i Brydain ar waith.

5.

Eisteddai Delyth Welsh yn dawel yn nerbynfa swyddfa'r Adran Dollau yn St Malo. Roedd un o swyddogion benywaidd yr adran wedi'i holi'n dwll am ei hymweliad â Ffrainc. Ac nid dyna'r unig dwll a gafodd ei archwilio'n drylwyr yn ystod yr awr flaenorol wrth i'r swyddogion gynnal eu hymchwiliadau.

Roedd Delyth wedi edrych ymlaen yn fawr at y daith hon i ddathlu ei phen-blwydd yn hanner cant. Dyma'r gwyliau cyntaf fyddai'n bodloni ei dymuniadau a'i diddordebau hi ers iddi hi a Les briodi.

Mae nifer o ddynion yn cuddio cyfrinachau amdanyn nhw'u hunain pan maen nhw'n cwrdd â menywod, meddyliodd Delyth. Cyfrinachau fel bod yn gaeth i alcohol neu gyffuriau; bod yn gyn-droseddwr; yn aelod o'r heddlu cudd; yn briod o'r blaen; neu hyd yn oed hoffter o wisgo dillad isaf merched.

Cyfrinach Les oedd y BRA; nid yr eitem honno o ddillad isaf merched ond yn hytrach y British Re-enactment Association. Nid oedd Les wedi sôn gair wrth Delyth ei fod yn hoffi esgus bod yn filwr canoloesol pan oeddent yn canlyn ei gilydd dros chwarter canrif ynghynt. Doedd gan Delyth ddim syniad beth oedd o'i blaen wrth iddi briodi Les. Ond erbyn hyn, dair blynedd ar hugain yn ddiweddarach, roedd yn hollol ymwybodol o ddiddordebau milwrol diflas ei gŵr.

Nid oedd Les, Delyth, a'u plant, Gwenllïan ac Owain, erioed wedi bod ar wyliau tramor fel teulu. Dros y blynyddoedd bu'n rhaid i Delyth a'r plant fynd gyda Les i feysydd brwydrau'r canol oesoedd a'r Rhyfel Cartref ar draws ynysoedd Prydain, gan aros mewn carafán yng nghanol caeau anghysbell heb unrhyw gyfleusterau ar benwythnosau hir, gwlyb a diflas.

Un tro bu'n rhaid iddyn nhw adael y garafán adref am fod Les yn mynnu llusgo peiriant gwarchae roedd wedi'i adeiladu ei hun yr holl ffordd i Stirling yn yr Alban, lle defnyddiodd y Brenin Edward I beiriannau tebyg yn 1304. Y penwythnos hwnnw bu'n rhaid i'r pedwar ohonynt rannu pabell yn ystod storm anferth yng nghanol mis Mawrth.

Erbyn hyn, roedd Gwenllïan ac Owain wedi hedfan y nyth. Roedd Gwenllïan yn nyrs yn ysbyty Abertawe ac Owain yn blismon yn Llundain. Roedd Delyth ar ei phen ei hun felly, yn wynebu'r dyfodol yng nghwmni Les.

Ond daeth tro ar fyd annisgwyl naw mis ynghynt, pan roddodd Les y gorau i'w anturiaethau canoloesol. Dyma Les ar ei newydd wedd, meddyliodd Delyth yn obeithiol, pan ddywedodd hwnnw ei fod wedi ymddiswyddo o'r BRA, wedi iddo ddychwelyd o gyfarfod blynyddol y gymdeithas yn Tewkesbury. Rai dyddiau'n ddiweddarach, datgelodd Les ei gynlluniau ar gyfer treulio mis Mehefin yn Ffrainc, a chynigiodd ddefnyddio peth o arian ei ddiswyddiad gwirfoddol i dalu am y daith fel anrheg pen-blwydd hanner cant i Delyth.

– Mi fydd hi'n daith i'w chofio, Delyth, meddai wrthi ar y pryd, ac roedd eisoes yn llygad ei le, meddyliodd Delyth, gan symud yn anesmwyth yn ei sedd.

Yn sydyn, agorodd y drws a chamodd Les i mewn i'r dderbynfa, gan gerdded braidd yn anghyfforddus, gyda'r swyddog oedd wedi'i amau yn ei ddilyn. Dywedodd y swyddog wrthynt nad oedd y cŵn archwilio wedi darganfod unrhyw beth amheus yn y car na'r garafán. Diolchodd i'r ddau am eu cydweithrediad gan esbonio fod yr archwiliad corff yn rhan annatod o'r broses, cyn rhoi eu pasbortau yn ôl iddyn nhw.

Ysgydwodd y swyddog law Les a dweud, gan chwerthin,
– *Monsieur Les Welsh ... est ... les Gallois, n'est ce pas?*
Edrychodd Les ar Delyth.

– Mae'n dweud mai Les Welsh yw Les Gallois yn Ffrangeg ... sydd hefyd yn golygu 'Y Cymry'.

– *Allez Les Gallois*! meddai'r swyddog, gan chwifio'i freichiau i ddynodi fod y ddau'n rhydd i ddechrau ar eu gwyliau.

– *Allez! Allez Les Gallois*! gwaeddodd eto, gan chwerthin wrth wylio Les a Delyth yn gadael y swyddfa.

6.

Deirawr yn ddiweddarach, roedd yr un swyddog yn ffarwelio ag Al Edwards a Rhian James. Roeddent hwythau hefyd wedi gorfod dioddef archwiliad trwyadl gan swyddogion y tollau, cyn cael eu holi am gynnwys y camperfan VW.

Bu'n rhaid i Al a Rhian esbonio fod y ddau wedi rhannu'u harian i brynu camperfan a'i llenwi â nwyddau. Y bwriad oedd gwerthu'r nwyddau i ddilynwyr pêl-droed Cymru y tu allan i'r stadia cyn gemau'r tîm cenedlaethol yn Ffrainc.

Roedd Al a Rhian wedi llenwi'r fan â chrysau'r tîm cenedlaethol, pants a nicyrs gyda'r ddraig goch arnynt, dau gant o hetiau, degau ar ddegau o faneri Cymru o bob maint a chant o gennin pedr plastig, yn ogystal â chlymu nifer o gennin plastig anferth ar ben to'r fan. Yn y fan hefyd roedd nifer o ganiau paent chwistrell o bob lliw. Roedd y rhain ar gyfer paentio wynebau'r cefnogwyr ac ar gyfer syniad Al a Rhian o weithio fel cerfluniau byw yn ymyl y stadia yn ystod yr oriau cyn y gemau.

– Mae gennon ni bob hawl i gludo'r nwyddau a'u gwerthu ar y cyfandir am fod Prydain yn rhan o'r Undeb Ewropeaidd, meddai Rhian yn awdurdodol wrth y swyddog oedd yn ei holi, gan wybod ei bod yn hollol ddieuog o unrhyw gamwedd.

– Hmm ... ond efallai na fyddwch chi'n gallu gwerthu'r nwyddau am yn rhy hir ar ôl y trydydd ar hugain o'r mis hwn ... os bydd pobl Prydain yn pleidleisio i adael Ewrop, atebodd y swyddog yn sarcastig.

– Dwi ddim yn credu y bydd hynny'n digwydd, atebodd Rhian

gan chwerthin. – Ry'ch chi'n cymysgu pobl ynysoedd Prydain â dilynwyr pêl-droed Lloegr. Mae pobl Prydain yn waraidd, rhyddfrydol, croesawgar ac agored eu meddwl, ychwanegodd.

Gwenodd y swyddog cyn esbonio y byddai'n rhaid i Al a Rhian aros yn swyddfa'r Adran Dollau am sbel am fod y pecynnau o dybaco llysieuol oedd ym meddiant Al wedi'u hanfon i labordy yn St Malo i weld a oeddent yn cynnwys cyffuriau ai peidio.

Cododd calonnau'r ddau pan ddywedodd y swyddog wrthynt eu bod yn rhydd i barhau â'u taith toc cyn hanner dydd. Ond suddodd y calonnau hynny drachefn pan welsant fod nifer o'r eitemau o ddillad oedd yn y fan wedi'u rhwygo gan y cŵn a fu'n archwilio'r cerbyd am gyffuriau.

– Bai'r blydi boi 'na yn y garafán o'n blaen ni yw hyn. Welest ti e'n cyhuddo fi o smygu cyffuriau on'd do fe? taranodd Al, wrth iddo yrru'r camperfan allan o'r porthladd a dechrau ar y daith i Bordeaux.

– Paid â phoeni. Mi alla i drwsio'r rhan fwya o'r dillad. Dwi wedi dod â fy mheiriant gwnïo gyda fi. Anghofia am y peth, Al.

– Dwi ddim yn siŵr beth 'sen i'n wneud 'sen i'n gweld y boi 'na 'to, meddai Al. Gwelodd Rhian ei fod yn gwasgu'r olwyn nes bod ei ddwylo'n wyn.

Roedd gan Rhian James foesau cryf, a gafodd eu meithrin gan ei rhieni. Llwyddodd y rheiny i drosglwyddo'u daliadau rhyddfrydol i'w hunig blentyn yn ystod ei magwraeth. Roedd ei thad yn athro hanes oedd â diddordeb mawr yn nylanwad heddychwyr y gorffennol, a'i mam yn weithiwr cymdeithasol oedd o'r farn fod ffaeleddau pobl yn deillio o ffaeleddau cymdeithas. Cafodd Rhian, felly, ei siomi'n fawr gan ymosodiad Al ar y cynhyrchydd teledu, ond goroesodd dylanwad ei mam pan benderfynodd mai'r sefyllfa oedd wedi achosi ymddygiad treisgar Al yn hytrach na'i bersonoliaeth.

– Fyddi di'n gwneud dim os wyt ti'n fy ngharu i, Al. Rwyt ti wedi addo rheoli dy dymer … neu mi fydd hi'n amen ar ein perthynas. Meddylia am Oli'r Octopws …

– Oli'r Octopws wir! Twll ei din e. Fe sydd wedi gwneud fy nerfau i'n rhacs, meddyliodd Al, ond ni ddywedodd air wrth iddo yrru i gyfeiriad Bordeaux yn ne Ffrainc.

7.

– ... a chyrhaeddodd Owain Lawgoch y fan hon, sef pentref arfordirol Mortagne-sur-Gironde, gyda gweddill ei gatrawd Gymreig ym mis Mehefin 1378 ... o bosib 638 mlynedd i'r diwrnod ysblennydd hwn o haf ... traethodd Les, fel un o'r haneswyr diflas di-ri roedd ei gŵr wedi ei gorfodi i'w gwylio ar y teledu dros y blynyddoedd, meddyliodd Delyth.

Roedd hi eisoes wedi gwrando ar Les yn canu clodydd y Mab Darogan ers dros ugain munud. Amneidiodd o bryd i'w gilydd, gan esgus dangos diddordeb yn yr araith am Owain Lawgoch. Safai Les o flaen cofeb Owain, oedd yn wyth troedfedd o uchder ac yn cynnwys cerflun o law agored yn dal disg llechen gyda phedwar llew rhemp arno, sef arfbais Owain Lawgoch.

– ... yn gwmni i Owain, neu *Yvain de Galles* fel y'i gelwid gan y Ffrancwyr, roedd ei gyd-filwr ffyddlon, Ieuan Wyn, neu'r *Poursuivant d'Amour* a safai ysgwydd wrth ysgwydd ag Owain y diwrnod hwnnw, fel y gwnaeth yn ystod y rhan helaethaf o yrfa Owain ... traethodd Les, cyn i Delyth roi ei llaw i fyny.

– Delyth.

– Pam oedden nhw'n galw'r Ieuan Wyn 'ma'n *Poursuivant d'Amour*?

Gwenodd Les yn hunangyfiawn cyn ateb.

– Ti yw'r athrawes Ffrangeg. Beth wyt *ti*'n feddwl?

– Y cyfieithiad yw heliwr cariad ...

– ... yn hollol. Yn ôl y dystiolaeth brin sydd ar gael, roedd Ieuan Wyn yn dipyn o foi gyda'r menywod, eglurodd Les. Aeth yn ei flaen i ddisgrifio sut y lladdwyd Owain Lawgoch gan ddyn o'r enw John Lamb, a gafodd dâl o ugain punt gan ysbïwyr

Brenin Lloegr i ladd y Cymro, a fu'n ddraenen yn ystlys coron Lloegr am gyfnod rhy hir.

Roedd Delyth yn ddigon hapus i wrando ar Les, oherwydd gwyddai o brofiad fod hyn yn well o lawer na gorfod mynychu brwydrau canoloesol ffug. Roedd hi'n fwy na bodlon aberthu awr neu ddwy ym mhentref Mortagne-sur-Gironde cyn teithio i Bordeaux i dreulio'r dyddiau canlynol yn ymlacio ac yn yfed gwin gorau ardal y Gironde. Gobeithiai y byddai Les yn cael y nonsens hwn allan o'i system nawr, er mwyn iddyn nhw allu anghofio am y canol oesoedd am weddill y gwyliau. Diolch i'r drefn bod Les wedi dod yn rhydd o'r BRA, meddyliodd, gan chwerthin ar ei jôc fach bersonol.

Ni fyddai Delyth wedi chwerthin petai hi'n gwybod y gwir. Nid ymddiswyddo o'r gymdeithas a wnaeth Les. Yn hytrach, cafodd ei ddiarddel gan uwch-swyddogion BRA ar ôl ymddangos gerbron panel disgyblu cyn y cyfarfod cyffredinol blynyddol yn Tewkesbury y mis Medi blaenorol.

– Rydych chi wedi'ch dwyn gerbron y panel disgyblu hwn am eich bod wedi'ch cyhuddo o ddwyn anfri ar y gymdeithas, Mr Welsh, meddai John Gaunt, llywydd y gymdeithas, a eisteddai yng nghwmni'r ddau aelod arall o'r panel disgyblu, Cameron Osborne a Neil St John-Havers. Darllenodd John Gaunt y cyhuddiadau'n araf, gan edrych dros ei sbectol ar Les, a eisteddai'n hollol lonydd o flaen y tri Sais.

– ... fe'ch cyhuddir o'r troseddau canlynol. Ar Fawrth y pumed 2015, yn ystod ailgread o frwydr Maes Maidog ger Llanfair Caereinion, fe geisioch newid trywydd y frwydr, a enillwyd gan goron Lloegr. Er i chi, Mr Welsh, gael y fraint o gynrychioli Madog ap Llywelyn, mi lwyddoch chi i osgoi cael eich dal a'ch dienyddio, sef yr hyn a ddigwyddodd mewn gwirionedd yn 1295 ... drwy ...

– ... ffoi ar y bws X50 o'r Trallwng i Groesoswallt, Mr Gaunt, meddai Neil St John-Havers.

– Diolch, Mr St John-Havers ... ie ... ffoi ar y bws X50 o'r Trallwng i Groesoswallt, ychwanegodd John Gaunt gan edrych dros ei sbectol cyn pwyso 'mlaen ac aros am ymateb Les.

– Euog ... ond dwi'n credu ...

– Dwi ddim wedi gorffen eto, Mr Welsh, meddai John Gaunt, dyn boliog yn ei bumdegau hwyr, yn swrth. – ... ac ar y deuddegfed o Awst 2015, yn ystod ailgread o frwydr Painscastle, fe'ch cyhuddir o geisio newid trywydd y frwydr, a enillwyd gan William de Braose ar ran coron Lloegr. Er i chi, Mr Welsh, gael y fraint o gynrychioli Gwenwynwyn ab Owain o Bowys, arweinydd y gwrthryfel, mi lwyddoch chi a thri aelod arall o'r gymdeithas oedd yn cynrychioli'r fyddin o 3,000 o ddynion i osgoi cael eich lladd yn afon Bachawy fel ddigwyddodd yn 1198 trwy barcio'ch car ... yymm ...

– ... Citroën Xsara Picasso, Mr Gaunt, meddai Cameron Osborne.

– Diolch, Mr Osborne ... ie ... eich car ... Citroën Xsara Picasso ... ar draws y fynedfa i'r bont. Cododd John Gaunt ei ben. – Oes gennych chi unrhyw esboniad am eich penderfyniad i dorri rheolau sylfaenol y gymdeithas, sef bod yn rhaid i'r frwydr ddilyn yr un trywydd yn union â'r un wreiddiol? Does bosib nad ydych chi'n deall pwysigrwydd hynny a chithau wedi bod yn aelod cyhyd, Mr Welsh? Mi wyddoch chi a minnau fod yna grwpiau ail-greu brwydrau canoloesol eilradd sy'n mynnu cynnal brwydrau heb ddilyn y trywydd hanesyddol, ond nid cymdeithas felly yw hon, Mr Welsh.

Y gwir oedd bod Les, ar ôl dros ddeng mlynedd ar hugain o fynychu brwydrau o'r fath, wedi cael llond bol ar gynrychioli Cymry, dro ar ôl tro, a laddwyd gan goron Lloegr.

– Ro'n i am fod yn arloeswr, Mr Gaunt, er mwyn ceisio gwneud y gymdeithas yn fwy poblogaidd ... fel mae Mr Barry Hearn wedi llwyddo i'w wneud gyda snwcer a dartiau, meddai Les. – Mae aelodaeth y gymdeithas wedi gostwng yn arw dros y blynyddoedd diwethaf ac ro'n i'n meddwl y gallen i ddenu mwy o Gymry petaen nhw'n ennill nawr ac yn y man ... llacio'r rheolau ryw ychydig fel petai.

Cododd John Gaunt ei aeliau mewn anghrediniaeth.

– Yn ffodus, allwch chi ddim newid hanes, Mr Welsh. Y gwir yw bod y Cymry wedi colli dro ar ôl tro i goron Loegr, ac allwch chi na neb arall newid hynny, meddai, gan hanner gwenu cyn pwyso ymlaen yn ei sedd. – Ry'ch chi wedi gwasanaethu'r gymdeithas hon mewn modd anrhydeddus am dros chwarter canrif, Mr Welsh. Os ydych chi'n addo peidio ag ymddwyn yn yr un modd eto, rwy'n siŵr y gallwn ni anghofio am hyn, ychwanegodd, wrth i Cameron Osborne a Neil St John-Havers amneidio'u cytundeb.

– Na, Mr Gaunt. Alla i ddim addo hynny, mae gen i ofn. Rwy'n genedlaetholwr yn gyntaf ac yn ailgrëwr brwydrau yn ail, a dyna ni.

Dywedodd John Gaunt nad oedd unrhyw ddewis gan y pwyllgor disgyblu, felly, ond diarddel Les o'r gymdeithas.

– Mae'r boi'n amlwg yn wallgo ... ac wedi colli arni. Mae wedi gorfod rhoi'r gorau i ddysgu hefyd ... trist iawn, meddai John Gaunt wrth y ddau arall. Cododd y tri ar eu traed gan adael yr ystafell i ymuno â'r tri chant o aelodau eraill oedd wedi ymgynnull ar gyfer y cyfarfod cyffredinol yng Nghanolfan Hamdden Tewkesbury y diwrnod hwnnw.

Teimlai Les yn drist wrth iddo gerdded tuag at fynedfa'r ganolfan hamdden ar ôl eistedd a chrio mewn ciwbicl yn nhoiledau'r dynion am ddeng munud. Gwyddai fod ei yrfa fel ailgrëwr brwydrau hanesyddol ar ben. Cerddodd heibio i'r neuadd lle'r oedd y cyfarfod cyffredinol yn cael ei gynnal. Oedodd am eiliad pan glywodd John Gaunt yn annerch yr aelodau. Closiodd at ddrws y neuadd i wrando ar yr hyn oedd ganddo i'w ddweud.

– Gallaf gadarnhau heddiw imi fod wrthi'n cynnal trafodaethau dwys gyda'n cyfoedion yn Ffrainc, sef yr Association de Reconstitution de Sites de Combatte Européenne, neu ARSE fel ry'n ni'n eu hadnabod. Rwy'n falch o gyhoeddi ein bod wedi cytuno i ail-greu brwydr Poitiers 1356 rhwng Lloegr a Ffrainc, a hynny ar faes gwreiddiol y gad yn Poitiers ei hun, ar Fehefin y deunawfed y flwyddyn nesaf, meddai, cyn i'r aelodau godi ar eu traed a'i gymeradwyo'n wresog am eiliadau hir.

– Bydd cant a hanner ohonom yn teithio i Ffrainc yr haf nesaf, ac mi fydd y broses o ddethol y sgwad derfynol, fel petai, yn dechrau'r mis nesaf, ychwanegodd John Gaunt, cyn derbyn cymeradwyaeth bellach y dorf a dechrau amlinellu'r amserlen ar gyfer ail-greu'r frwydr lle chwalodd y Tywysog Du fyddin Ffrainc yn deilchion.

Gwgodd Les pan glywodd y newyddion, ond trodd yr wg yn wên eiliad yn ddiweddarach, pan gafodd syniad ar gyfer dial ar John Gaunt a'r BRA.

Ymhen diwrnod roedd Les wedi perswadio pum Cymro arall i adael BRA a mentro ar eu liwt eu hunain, gan greu cymdeithas Gymraeg a Chymreig ei naws. Felly y crëwyd Cymdeithas Adfer Cymru Hanesyddol, sef CACH.

Y diwrnod canlynol, ebostiodd Les lywydd ARSE ym Mharis a'i ddarbwyllo i ganiatáu i Les a'i gyd-aelodau yn CACH ymuno â'r gymdeithas Ffrengig, am fod nifer o Gymry, gan gynnwys Owain Lawgoch, wedi cymryd rhan ym mrwydr Poitiers.

Gwyddai Les, wrth gwrs, na fyddai Delyth yn cytuno i deithio gydag ef i Ffrainc ar gyfer y frwydr ganoloesol, felly bu'n rhaid iddo fod yn gyfrwys, gan drefnu'r daith dan yr esgus ei fod yn gwneud y cwbl i ddathlu ei phen-blwydd yn hanner cant.

Wrth i'r ddau eistedd yn wynebu'i gilydd ar draws bwrdd y tu allan i westy glan môr ym Mortagne-sur-Gironde, yn dilyn araith Les am Owain Lawgoch, pendronodd Les sut a phryd y dylai ddweud wrth Delyth am ei gynlluniau cudd ar gyfer y penwythnos canlynol.

Doedd Les ddim yn siŵr a fyddai'n dal yn briod ar ddiwedd y mis. Doedd dim rhyfedd nad oedd Owain Lawgoch wedi priodi, meddyliodd, wrth fwyta'i *moules marinière* yn dawel yng nghwmni Delyth y noson honno, cyn iddynt deithio'r trigain milltir i'r maes gwersylla ger Bordeaux.

8.

Roedd Emyr Owen wedi treulio bore hwylus yn gyrru'r Ace Capri 500 yng nghwmni Terry O'Shea ar hyd y briffordd rhwng St Malo a Bordeaux. Er bod Terry wedi gweithio i ewythr a modryb Emyr ers pum mlynedd, dyma'r tro cyntaf i Emyr gael cyfle i sgwrsio ar ei ben ei hun gyda'r cyn-filwr fyddai'n ei warchod dros y pythefnos nesaf.

Nid oedd Emyr wedi treulio rhyw lawer o amser yng nghwmni Steffan ac Ann Zelezki ers iddynt ei fabwysiadu ar ôl i'w fam, a'i magodd ar ei phen ei hun, farw pan oedd yn ddeng mlwydd oed. Yn ôl ei fam, Gwen, roedd Emyr yn gynnyrch perthynas feddw unnos pan oedd ar ei gwyliau yn Ibiza. Roedd perthynas Emyr a'i fam yn un agos, yn enwedig am fod Gwen wedi dioddef cystudd hir cyn iddi farw o glefyd yr afu. O ganlyniad, roedd Emyr yn fachgen gwydn, a bu hynny'n gymorth iddo ddygymod â'i brofedigaeth yn llawer gwell na'r disgwyl.

Treuliodd Emyr saith mlynedd yn ysgol breswyl Amwythig yn ystod y tymhorau ysgol, gan fynychu gweithgareddau adeiladol fel rhai Ymddiriedolaeth Tywysog Cymru a Dug Caeredin yn ystod y gwyliau. Serch hynny, treuliodd fwy o amser gyda'i fodryb Ann yn ystod y pum mlynedd diwethaf, gan fwynhau ei chwmni yn sgio yn Gstaad a Val d'Isère yn ystod gwyliau ysgol y gaeaf, ac yn sgio dŵr ger ei chartref hi a'i gŵr ym Monaco yn ystod gwyliau'r haf. Treuliodd y tair blynedd diwethaf yn astudio yng Nghaeredin, gan dreulio'i amser hamdden yn cerdded a dringo mynyddoedd yr Alban, gyda'r nod o ddringo pob un o fynyddoedd y Munros cyn diwedd ei oes.

Roedd Emyr yn ddyn ifanc diymhongar, oedd yn gwerthfawrogi haelioni ei fodryb a'i ewythr yn talu am yr addysg orau bosib iddo. Ond roedd hefyd, fel ei fam, yn annibynnol iawn, ac roedd wedi penderfynu y byddai'n well ganddo dorri ei gŵys ei hun yn hytrach na dibynnu ar arian ei fodryb a'i ewythr pan fyddai'n gadael y brifysgol. Ystyriodd ymuno â'r fyddin ar ôl iddo raddio, ond bu'n rhaid iddo roi'r gorau i'r syniad hwnnw a dygymod â thro ar fyd pan fu farw ei fodryb. Golygai hynny y byddai ei ddyfodol ynghlwm â mentrau busnes Steffan Zelezki o hynny ymlaen.

Serch hynny, cafodd Emyr y syniad o ddefnyddio rhan helaeth o'i etifeddiaeth i greu elusen ryngwladol ar gyfer plant amddifad, rhai na fuont mor ffodus ag ef, ac roedd ar ben ei ddigon pan gytunodd ei ewythr. Awgrymodd Steffan Zelezki y dylai ei nai gwrdd ag un o'i gysylltiadau busnes yn Toulouse, a oedd wedi creu elusen debyg yn ddiweddar.

Am fod ganddo ddiddordeb yn y fyddin, bachodd Emyr ar y cyfle i holi Terry'n dwll am ei brofiadau fel aelod o gatrawd parasiwtio Lleng Dramor Ffrainc wrth iddynt deithio yn yr Ace Capri 500 y bore hwnnw.

– Y peth pwysicaf i'w gofio wrth neidio allan o awyren ... fel mewn nifer o sefyllfaoedd eraill mewn bywyd ... yw gafael yn dynn yn dy het, meddai Terry wrth i'r fan deithio heibio dinas Rennes.

– Pam?

– Rwy'n cofio un boi yn anghofio gwneud hynny pan oedden ni'n cael ein hyfforddi. Pan laniodd e, mi ddwedodd fod y profiad wedi bod yn un ysbrydol, am fod popeth wedi mynd yn dawel wrth iddo ddisgyn trwy'r awyr. Ond beth oedd wedi digwydd mewn gwirionedd oedd bod y strapiau oedd yn dal ei het wedi codi a thorri'i glustiau bant, meddai Terry, gan sylwi bod angen llenwi tanc petrol y fan. – Mae 'na orsaf betrol mewn pum milltir, meddai, gan edrych ar y map Michelin o Ffrainc oedd ar ei gôl.

Wedi iddyn nhw gyrraedd yr orsaf betrol, aeth Terry i mewn i'r siop i brynu dau goffi tra bod Emyr yn llenwi'r tanc. Pan aeth Emyr i mewn i'r siop i dalu am y petrol roedd Terry'n sgwrsio gyda menyw brydferth yn ei thridegau, oedd yn chwerthin yn uchel ar rywbeth roedd Terry newydd ei ddweud. Sylwodd hefyd fod Terry wedi perswadio'r fenyw i ysgrifennu rhywbeth ar ddarn o bapur cyn iddyn nhw adael y siop.

– Oeddet ti'n nabod y fenyw 'na? gofynnodd Emyr, wrth i'r ddau ailddechrau ar eu siwrnai.

– Na. Sylwais i nad oedd hi'n gwisgo modrwy briodas, ac mi ges i sgwrs fach efo hi cyn gofyn iddi am ei rhif ffôn. Falle bydda i'n pasio 'nôl drwy'r ardal ar fy ffordd adre i Brydain, ac mi fyddai ychydig o gwmni'n torri diflastod y siwrne, eglurodd Terry.

– Ond mi fydda i'n dod 'nôl gyda ti, meddai Emyr, gan nad oedd yn gwybod mai'r trefniant rhwng Steffan Zelezki a Terry oedd bod y cyn-filwr yn dychwelyd i Gymru ar ei ben ei hun gydag 8okg o gafiâr Beluga yn y camperfan.

– Mae 'na groeso iti ymuno â ni. Mae gwisgwr y *kepi* wastad yn fodlon rhannu'i ddogn, chwarddodd Terry, gan ei geryddu'i hun yn dawel am ei fod bron â gadael y gath o'r cwd.

Stopiodd y ddau i gael cinio yn ardal arfordirol Rochefort, oedd tua hanner ffordd i'r maes gwersylla ger Bordeaux lle'r oedd Steffan Zelezki wedi trefnu iddyn nhw aros y noson honno. Er bod Emyr wedi cael addysg breifat, nid oedd ei Ffrangeg mor gryf â'i Ladin. Roedd yn ddiolchgar felly fod Terry'n rhugl yn yr iaith, a gadawodd iddo drafod y fwydlen gyda'r weinyddes.

Penderfynodd y ddau gael cwrs cyntaf yn ogystal â phrif gwrs, am mai hwn oedd eu pryd bwyd sylweddol cyntaf yn ystod y daith. Dewisodd Terry hanner dwsin o wystrys ond roedd dewis Emyr, sef y *bouillabaisse*, ychydig yn fwy ceidwadol.

Rhannodd Terry ychydig o eiriau gyda'r weinyddes pan gyrhaeddodd y bwyd, gan wneud iddi chwerthin. Ysgrifennodd rywbeth yn ei lyfr nodiadau, tynnu'r dudalen a'i rhoi i Terry.

– *Merci, mademoiselle*, meddai hwnnw, gan wylio'r ferch yn diflannu i'r gegin.

– Dêt arall?

– Wrth gwrs. Hen arferiad o fy nghyfnod yn y llu. Roedd yn rhaid inni fanteisio ar bob cyfle gyda merched pan oedden ni yn y Legion.

– Dwi'n deall. Fel milwr doeddet ti ddim yn gwybod pa mor hir y byddet ti'n byw. Roedd yn rhaid iti fyw bywyd i'r eithaf, meddai Emyr.

Chwarddodd Terry.

– Na. Oherwydd nad o'n i'n cael penwythnos bant yn aml iawn. Felly roedd yn rhaid iti neud cymaint ag y gallet ti rhwng nos Wener a bore Llun bob tri mis.

Dewisodd y ddau bysgodyn môr-gyllell gyda thatws *dauphinoise* ar gyfer y prif gwrs, a gafodd ei weini gan fenyw yn ei deugeiniau hwyr y tro hwn. Unwaith eto, cafodd Terry sgwrs fer â hi cyn iddi ddychwelyd i'r gegin. Dychwelodd maes o law pan welodd fod y ddau wedi gorffen eu bwyd. Roedd y fenyw wrthi'n sgwrsio gyda Terry pan ganodd ffôn Emyr.

– Esgusoda fi. Mae'n rhaid imi gymryd hwn, meddai Emyr, gan gamu allan o'r bwyty. – Wncwl Steffan! Helô.

– Ydy popeth yn iawn? gofynnodd Steffan Zelezki gan edrych allan drwy ffenest ei swyddfa yn Canary Wharf.

– Grêt. Ry'n ni newydd gael cinio ... ges i *bouillabaisse* a'r môr-gyllell gyda ...

– Na, na, na ... ydy popeth yn iawn ... y gwrthrych ...

– Y gwrthrych? gofynnodd Emyr, cyn sylweddoli fod Steffan yn cyfeirio at y tegan draig goch. – ... O, ydy. Mae'r 200,000 Ewro'n ddigon diogel yn y ddraig goch, Wncwl Steffan.

– Na, na, na. Paid â sôn ble mae'r arian! gwaeddodd Steffan – ... dyw'r llinell ffôn ddim wedi'i hamgryptio, y ffŵl! Ond roedd hi'n rhy hwyr.

– O! Mae'n flin gen i, Wncwl Steffan. Ydy. Mae'r gwrthrych yn ddiogel, meddai Emyr yn fecanyddol, gan glywed ei ewythr yn griddfan.

– Paid â phoeni. Dwi'n siŵr nad oes neb yn gwrando ... meddai Steffan, gan obeithio nad oedd ei wrthwynebwyr busnes wedi tapio'i ffôn.

Roedd Steffan Zelezki wedi dringo'n uchel dros yr ugain mlynedd diwethaf, ers iddo ddechrau ar ei yrfa fel cyfreithiwr oedd yn arbenigo mewn trethi yn Llundain. Ond a oedd e wedi dringo'n rhy uchel? meddyliodd, gan syllu ar afon Tafwys yn ymlwybro'n araf o dan ffenest ei swyddfa.

Roedd tad Steffan yn ei ddydd yn rhedeg busnes adeiladu a

llogi tai yng Nghaerdydd, a sefydlwyd gan ei dad-cu yn fuan wedi i hwnnw ddianc i Brydain ac ymgartrefu yng Nghaerdydd, yn dilyn y chwyldro yn Rwsia yn 1917. Er bod Steffan yn perthyn i drydedd genhedlaeth y teulu a ymsefydlodd yng Nghymru, roedd gan ei dad, fel ei dad-cu, deimladau cryf am y famwlad, a mynnodd fod Steffan yn siarad Rwsieg ar yr aelwyd.

Bu'r gallu i siarad yr iaith yn fantais i Steffan pan ddechreuodd nifer o Rwsiaid symud i Lundain ar ddiwedd nawdegau'r ganrif ddiwethaf, gan gynnwys Boris 'y corryn' Petrovich.

Roedd Petrovich yn un o'r dynion busnes hynny oedd wedi elwa'n sylweddol o'r gyflafan economaidd a ddilynodd gwymp yr Undeb Sofietaidd yn yr 1990au cynnar. Penderfynodd nifer o'r oligarchiaid hyn symud eu harian i Brydain, lle nad oedd llywodraethau Torïaidd na Llafur y wlad yn gofyn gormod o gwestiynau ynghylch tarddiad eu ffortiwn. Ar y pryd, roedd Saesneg yn iaith gwbl ddieithr i nifer o'r Rwsiaid hyn. Roedd angen help arnynt felly i'w sefydlu eu hunain yn Llundain, drwy brynu tai ac eiddo, yn ogystal â darganfod ffyrdd o guddio'u harian drwy sefydlu busnesau newydd ym Mhrydain. Sylweddolodd Steffan yn fuan y gallai wneud ei ffortiwn ei hun drwy helpu'r oligarchiaid hyn i ymsefydlu yn Llundain, a dechreuodd greu cysylltiadau proffidiol iawn gyda'r émigrés cyfoethog, ac yn enwedig gyda Boris 'y corryn' Petrovich.

Ymhen amser, daeth Steffan Zelezki yn rhan annatod o rwydwaith Petrovich, gan greu busnesau i wynnu'r arian roedd y corryn wedi'i wneud o gwmnïau alwminiwm, olew, trydan a nwy Rwsia cyn i'r Arlywydd Putin gael cyfle i ailwladoli'r diwydiannau hyn ar ddechrau'r mileniwm. Fel nifer o ddynion busnes tebyg o Brydain, penderfynodd Zelezki guddio symiau sylweddol o arian ar ran Boris Petrovich drwy greu busnesau alltraeth yn ei enw ef a'i wraig, Ann.

Mantais arall o greu busnesau ffug yn enw Ann Zelezki oedd nad oedd ganddi ddiddordeb yn nhrefniadau busnes ei gŵr, a'i bod yn treulio'r rhan fwyaf o'i hamser yn eu hail gartref ym Monaco, sef un o lochesi treth pennaf y byd.

Daeth Steffan Zelezki'n ddyn cyfoethog dros y degawd nesaf yn sgil ei gysylltiad â Boris 'y corryn' Petrovich. Ond roedd gan Petrovich elynion, gan gynnwys oligarchiaid eraill roedd y corryn wedi eu brathu dros y blynyddoedd.

Gwyddai Steffan y gallai un o elynion Boris 'y corryn' Petrovich geisio niweidio Emyr mewn ymdrech i ddial ar Steffan a'r oligarch am eu gweithredoedd busnes. Gwyddai mai damwain oedd marwolaeth ei wraig wedi iddi daro ei phen ar ôl cwympo wrth sgio yn Gstaad dri mis ynghynt. Ond roedd ei nai, Emyr, yn ddyn ifanc naïf.

– Cymer ofal, oedd y peth olaf i Steffan Zelezki ei ddweud wrth Emyr cyn i hwnnw ddod â'r sgwrs ffôn i ben a dychwelyd at fwrdd y bwyty funud yn ddiweddarach.

Gwelodd Emyr fod Terry a'r fenyw'n dal i sgwrsio. Parhaodd y sgwrs am hanner munud arall cyn iddi dynnu cerdyn busnes o boced ei ffedog a'i roi i Terry.

– *Merci, madame*, meddai hwnnw, cyn ychwanegu sylw arall a wnaeth i'r fenyw chwerthin cyn iddi droi ar ei sodlau uchel i weini ar gwsmeriaid eraill.

– Dwyt ti ddim wedi cael dêt gyda honna 'fyd? gofynnodd Emyr.

– Do. Mae pob milwr da yn gwybod bod angen cynllun wrth gefn rhag ofn i'r cynllun gwreiddiol fethu, eglurodd Terry. – Yr unig broblem yw mai hon yw mam y weinyddes arall, chwarddodd. – Pwdin?

– Na. Well inni fynd rhag ofn i'r fam-gu daro draw i'r bwyty, atebodd Emyr gan godi i dalu'r bil.

Ugain munud yn ddiweddarach roedd yr Ace Capri 500 wedi gadael tref Rochefort ac wedi dechrau ar y daith i Bordeaux. Ni wyddai Emyr na Terry fod cerbyd SUV wedi bod yn eu dilyn ers iddynt adael St Malo'r bore hwnnw, ac y byddai'n parhau i'w dilyn i'r maes gwersylla yn Bordeaux y noson honno.

Dydd Sadwrn 11 Mehefin

9.

Roedd maes gwersylla Toujours Bordeaux yn llawn bwrlwm pan agorodd Les Welsh ddrws ei garafán toc wedi wyth o'r gloch, a chymryd anadl hir o awyr iach i'w ffroenau ar fore cyntaf ei wyliau. Roedd nifer o'r gwersyllwyr wedi codi eisoes. Gwyliodd Les rai ohonynt yn mynd a dod o siop y gwersyll ryw ganllath i'r chwith iddo, ac o'r toiledau a'r cawodydd ryw hanner canllath i'r dde.

Camodd allan o'r garafán gyda'r bwriad o fynd ati i godi'r adlen cyn gynted â phosib, cyn gwobrwyo'i hun gyda gwydraid neu ddau o'r dwsin o boteli gwin coch a brynodd ym Mortagne-sur-Gironde y diwrnod cynt. Tybed a oedd y gwin hwnnw'n dod o'r un winllan â'r gwin roedd Owain Lawgoch yn ei yfed dros chwe chanrif ynghynt? meddyliodd.

Gyda hynny gwelodd ddrws y camperfan oedd wedi'i pharcio drws nesa iddo'n agor, cyn i ddyn yn ei dridegau gamu allan yn ei bants glas llachar, poeri ar y llawr a chrafu'i geilliau, cyn troi a gweld Les yn syllu arno. Amneidiodd ar Les cyn syllu am eiliad neu ddwy ar gefn car Les a Delyth, oedd wedi'i barcio o flaen y garafán.

– *Pays de Galles*! gwaeddodd yn sydyn, gan weld y sticer ar gefn y car. Camodd ymlaen ac estyn ei law. Siglodd Les ei law yn gyflym cyn sychu'i ddwylo ar ei siorts.

– Cymraeg ... Gareth Bale ... Aaron Ramsey ... John Toshack ... na? gofynnodd y dyn yn Saesneg gan bwyntio at y sticer a chwerthin.

– Ydw, atebodd Les.

– Rwy'n Slofac. Ry'n ni'n chwarae yn erbyn ein gilydd heddiw, meddai'r dyn yn Saesneg, gan estyn ei law unwaith eto. – Pleser cwrdd â chi. Fi yw Viktor Sestak.

– Les ... Les Welsh, atebodd Les yn nerfus, cyn i'r dyn weiddi dros ei ysgwydd.

– Hey! Ondrey, Juraj, Jan ... galwodd, cyn gweiddi rhywbeth yn Slofac.

Gwelodd Les dri wyneb yn syllu arno o ddrws y cerbyd, cyn i bob un ohonynt gamu allan yn eu pants, poeri ar y llawr, crafu'u ceilliau a mynnu siglo llaw Les.

– Mi fyddwch chi'n cael cweir gennon ni heno, meddai Viktor gan daro cefn Les yn galed.

– Ddim yn bersonol gobeithio, atebodd Les o dan ei wynt, gan deimlo'n bryderus yng nghwmni'r dynion ifanc barfog hyn. Ar hynny, canodd ei ffôn symudol. Tynnodd y ffôn o boced ei siorts a gweld mai ei ferch, Gwenllïan, oedd yn ei ffonio.

– Esgusodwch fi, meddai Les, yn falch o gael esgus i ddod â'r sgwrs gyda'i ffrindiau newydd o Slofacia i ben. Camodd yn ôl i ddiogelwch y garafán a chau'r drws yn glep.

– Gwenllïan ... Helô ... sut wyt ti? Does dim byd yn bod, oes e? gofynnodd yn dawel, gan weld fod Delyth yn cysgu.

– Nag oes ... i'r gwrthwyneb, Dad ... mae gen i newyddion da i ti a Mam. Yw hi 'na? atebodd Gwenllïan. Teimlodd Les ias oer yn mynd i lawr ei asgwrn cefn. Gwyddai y byddai'n rhaid iddo dalu 4.4 ceiniog y funud i'w gwmni ffôn bob tro y byddai rhywun yn ei ffonio o Brydain yn ystod ei wyliau.

Felly wrth i Gwenllïan yngan y geiriau – Rwy'n mynd i fod yn fam ... fe'u boddwyd gan Les yn dweud – Dim batri. Signal yn wael ...Tsssshhhhcccch. Ffonia dy fam. Tsssshhhhcccch ...

Diffoddodd Les y ffôn, gan regi wrtho'i hun pan welodd fod yr alwad wedi para munud ac un eiliad, a olygai fod arno 8.8 ceiniog i'w gwmni ffôn.

Eiliad yn ddiweddarach, canodd ffôn Delyth, a neidiodd Les ar draws y garafán i'w godi.

– Helô Gwenllïan cariad ... sori ... aeth y batri ... ydy, mae Mami fan hyn, meddai, gan weld fod Delyth newydd godi'i phen o dan y cwrlid.

Estynnodd y ffôn i Delyth, gan edrych allan o ffenest y garafán a gweld bod Ondrey, Juraj a Jan wedi gosod bwrdd a phedair cadair y tu allan i'w camperfan ac wedi dechrau yfed caniau o gwrw. Ond nid oedd Viktor yno.

– Rwy'n amau y bydd yn rhaid inni symud i *pitch* arall, Delyth. Mae'r Slofaciaid drws nesa'n edrych yn ddynion peryglus i mi, meddai Les, cyn i Delyth roi bloedd uchel a dweud yn llawn cyffro,

– O Les! Mae Gwenllïan yn disgwyl ...

Treuliodd Delyth yr awr nesaf yn siarad gyda'i merch am ei hymweliad â'r meddyg y noson cynt, dyddiad geni'r babi (Rhagfyr y seithfed), y camau nesaf ac yn y blaen. Erbyn i Delyth ddiffodd y ffôn, roedd Les yn amcangyfrif fod yr alwad wedi costio bron i dair punt iddi ... a hynny dim ond am dderbyn yr alwad.

– Mi fydd yn rhaid inni fynd adre, Les.

– Mynd adre? Pam? Wyt ti off dy ben? gofynnodd Les, gan ofni y byddai beichiogrwydd ei ferch yn dinistrio ei gynllun i ddial ar John Gaunt a'r BRA.

– Mae Gwenllïan yn feichiog. Mae 'na gymaint i'w drefnu, atebodd Delyth, gan sylweddoli y byddai'r babi yn rhoi hwb newydd i'w bywyd.

– Be alli di wneud nawr? Dim. Callia, fenyw. Mae hi'n disgwyl ers tri mis, a phan fyddwn ni'n cyrraedd adre, mi fydd hi wedi bod yn disgwyl ers pedwar mis. Bydd pum mis i fynd ar ôl hynny cyn i'r babi gyrraedd. Dwi wedi talu ffortiwn a threulio naw mis yn trefnu'r daith yma i ddathlu dy ben-blwydd di, Delyth, meddai Les, gan weld dagrau'n cronni yn llygaid ei wraig.

– Dim gair i longyfarch dy ferch. 'Na i gyd wyt ti'n meddwl amdano yw ti dy hun, Leslie Welsh, meddai Delyth, gan roi ei gŵn llofft amdani, cymryd ei phwrs o'i bag a chamu allan o'r garafán.

– Ble wyt ti'n mynd?

– I brynu *croissants* ar gyfer dy frecwast di, gwaeddodd Delyth, gan gerdded i gyfeiriad siop y maes gwersylla.

Roedd Terry O'Shea wedi codi, cael cawod a mynd am dro o amgylch maes gwersylla Toujours Bordeaux erbyn i Emyr Owen ddeffro'r bore hwnnw.

– Dere 'mla'n, Emyr. *Hands off cocks, hands on socks* ... gwaeddodd Terry ar ôl dychwelyd i'r camperfan, gan siglo Emyr i'w ddeffro o'i drwmgwsg.

– Faint o'r gloch yw hi? gofynnodd Emyr yn gryg, gan agor un llygad.

– Toc wedi wyth. Beth wyt ti moyn i frecwast? gofynnodd Terry, gan sylwi bod Emyr wedi cysgu gyda'r tegan draig goch a bod hwnnw wedi syrthio i'r llawr yn ystod y nos.

– Unrhyw beth. Mi goda i mewn hanner awr, atebodd Emyr, oedd wedi blino'n lân ar ôl y daith hir o St Malo y diwrnod cynt.

– Aiff Dadi i nôl *croissants* i ti, Emyr bach, meddai Terry gan godi'r tegan o'r llawr a'i osod yn dyner yng nghesail Emyr, cyn gadael y camperfan a dechrau cerdded i gyfeiriad y siop.

Wrth i Terry nesáu at y siop, gwelodd fod y fenyw oedd gyda'r dyn bach moel gyda'r mwstásh du a'r siorts tyn a gafodd ei arestio gan swyddogion y tollau yn St Malo yn eistedd gyda bag siopa wrth ei hymyl ar fainc gyfagos. Sylwodd ei bod hi'n crio'n dawel. Un rhinwedd o fod yn aelod o Leng Dramor Ffrainc oedd bod pob milwr yn cael eu trwytho yn hanes milwrol Ffrainc a estynnai yn ôl i'r canol oesoedd. Hon oedd oes sifalri, pan oedd disgwyl i farchogion helpu unrhyw ferch o unrhyw oedran oedd yn dioddef trallod. Roedd moesau'r Lleng wedi'u hoelio'n ddwfn i enaid Terry.

– *Bonjour, madame*, meddai, gan ymgrymu o'i blaen a gofyn yn Ffrangeg a allai ei helpu, cyn estyn macyn o'i boced.

Diolchodd Delyth iddo yn yr un iaith gan ddweud ei bod yn iawn.

– Dy'ch chi ddim yn edrych yn iawn, ychwanegodd Terry yn Ffrangeg.

Cododd Delyth ei phen ac edrych ar y dyn. Roedd ganddo

graith ar ei foch chwith a roddai olwg ddigon garw iddo, ond roedd ganddo lygaid caredig ac roedd y rheiny'n pefrio.

– Rwy'n iawn. Newydd gael ffrae fach gyda fy ngŵr, meddai Delyth. Cyn iddi sylweddoli, roedd hi wrthi'n arllwys ei chŵyn am Les. Roedd yn rhyddhad mawr cael gwneud hynny. Roedd y dieithryn hwn yn wrandäwr da, ac wedi'r cyfan, gan ei fod yn Ffrancwr, ni fyddai'n debygol o'i weld eto.

Esboniodd am alwad ffôn Gwenllïan ac ymateb Les i'r newyddion da, cyn dweud wrth Terry, oedd erbyn hyn yn eistedd yn ei hymyl, pam eu bod ar wyliau yn Ffrainc. Diolchodd fod ganddi gystal Ffrangeg.

– Rwy'n gwybod 'mod i'n hunanol, ond dathlu fy mhen-blwydd i'n hanner cant oedd bwriad y gwyliau 'ma. Rwy'n amau bod gan Les ryw gynllun i fyny'i lawes heblaw am fynd i Arras i ymweld â bedd ei dad-cu a fu farw yn mrwydr y Somme, gorffennodd Delyth, cyn chwythu'i thrwyn ym macyn Terry a'i roi yn ôl iddo.

– Dwi erioed wedi bod yn briod na chael y cyfle i fagu plant, felly alla i ddim cynnig unrhyw gyngor, dim ond dweud bod Les yn ddyn lwcus iawn ac mi ddylai sylweddoli hynny, meddai Terry yn Ffrangeg, gan godi ar ei draed a chodi'r bag siopa. – Gadewch imi eich hebrwng yn ôl i'r garafán, ychwanegodd.

Cytunodd Delyth a dechrau cerdded yng nghwmni Terry.

– O ba ran o Ffrainc y'ch chi'n dod? Dwi ddim yn nabod yr acen, gofynnodd.

– Pont-iets.

– Sir Gâr? Cymro y'ch chi? gofynnodd Delyth, yn Ffrangeg o hyd.

– Ie. O ba ran o Ffrainc y'ch chi'n hanu? gofynnodd Terry.

– Llandysul, atebodd Delyth, cyn i'r ddau sefyll yn eu hunfan a dechrau chwerthin.

– Siarad Cymraeg? gofynnodd Delyth.

– Wrth gwrs. Terry O'Shea ... at eich gwasanaeth, atebodd Terry yn Gymraeg cyn i'r ddau ddechrau chwerthin eto.

Wrth i'r ddau gerdded i'r garafán esboniodd Terry ei fod yn

rhugl yn yr iaith Ffrangeg yn dilyn ei gyfnod yn filwr yn Ffrainc. Pan gyrhaeddodd y ddau ben eu taith, gwelsant fod Les yn brysur yn codi'r adlen.

– Ble ddiawl wyt ti wedi bod? Dwi angen help i godi'r adlen 'ma, meddai Les yn chwyrn.

Closiodd Terry ato a dweud yn dawel, – Mae gennych chi wraig brydferth iawn, Les. 'Sen i'n chi mi fydden i'n gofalu'n dyner amdani, cyn troi at Delyth, wincio arni, moesymgrymu a cherdded yn ôl i gyfeiriad y siop.

– Pwy uffern oedd hwnna? gofynnodd Les yn ddryslyd.

– Monsieur Terry O'Shea ... roedd y Ffrancwyr yn arfer galw dynion o'r fath yn *Poursuivant d'Amour*, meddai Delyth.

– Pam wyt ti wedi bod cyhyd a pham oedd e'n cario dy fag? gofynnodd Les, a'i ddwylo ar ei gluniau.

– Dwyt ti ddim yn genfigennus am fod dyn arall wedi rhoi tamed bach o sylw imi, wyt ti Leslie? gofynnodd Delyth, gan gamu heibio'i gŵr a siglo'i phen ôl cyn diflannu i mewn i'r garafán. Safodd Les yn stond ac yn syfrdan cyn i'r adlen gwympo ar ei ben.

11.

Methodd Emyr Owen fynd yn ôl i gysgu ar ôl i Terry ei adael i fynd i siopa. Cododd a phenderfynu mynd i gael cawod, gan roi'r tegan draig goch yn ofalus o dan y glustog cyn gadael y garafán a cherdded i'r bloc toiledau.

Teimlai'n llawer gwell ugain munud yn ddiweddarach wrth iddo gamu allan o'r gawod. Gwelodd ddyn arall yn camu allan o gawod gyfagos eiliad neu ddwy'n ddiweddarach.

– Mae'n ddiwrnod braf, meddai'r dyn yn Ffrangeg, gan gerdded tuag at fasn ymolchi i frwsio'i ddannedd. Rhegodd pan sylweddolodd nad oedd past dannedd yn ei fag.

– Oes gennych chi bast dannedd? gofynnodd y dyn yn Ffrangeg.

Cododd Emyr ei ysgwyddau i ddangos nad oedd yn deall y cwestiwn.

Gofynnodd y dyn yr un cwestiwn yn Saesneg gan esgus brwsio'i ddannedd gyda'i law dde.

– Oes … dim problem, atebodd Emyr, gan ymbalfalu yn ei fag a rhoi'r past dannedd i'r dyn.

– Sais y'ch chi? Wayne Rooney … Harry Kane … Bobby Charlton … na? gofynnodd Viktor Sestak gan glosio at Emyr.

– Na. Cymro. Dwi'n mynd i wylio'r gêm yn Bordeaux heno, atebodd Emyr yn gwrtais.

– Dwi'n Slofac. Ry'n ni'n chwarae yn erbyn ein gilydd heddiw, meddai'r dyn yn Saesneg gan estyn ei law.

– Pleser cwrdd â chi. Fi yw Viktor Sestak …

– Emyr … Emyr Owen, atebodd Emyr, gan siglo llaw'r dyn o Slofacia.

– Mi fydd Ondrej Duda a Marek Hamšík yn ormod i chi heno, rwy'n ofni, chwarddodd Viktor.

– Dwi ddim yn credu 'ny. Dwi'n siŵr y bydd Duda ym mhoced Ashley Williams drwy'r nos, meddai Emyr.

Parhaodd y tynnu coes am funud neu ddwy, nes i Viktor wahodd Emyr i gwrdd â'i ffrindiau, Ondrey, Juraj a Jan, am ddiod, fel arwydd o'r cyfeillgarwch rhwng y ddwy genedl fechan.

– Pam lai? atebodd Emyr, gan ddilyn Viktor Sestak yn ôl i gamperfan y Slofaciaid.

12.

Roedd Al Edwards a Rhian James hefyd wedi codi'n gynnar ym maes gwersylla Toujours Bordeaux am fod ganddynt ddiwrnod prysur iawn o'u blaenau. Erbyn deg o'r gloch y bore roedd y ddau wedi rhoi trefn ar y camperfan ar gyfer gwerthu eu nwyddau y tu allan i'r stadiwm pêl-droed yn Bordeaux y prynhawn hwnnw.

Gobeithiai'r ddau y bydden nhw'n gwneud dipyn o arian

hefyd drwy berfformio fel cerfluniau byw yng nghanol y ddinas yn ystod y bore a'r prynhawn. Roedd corff Al wedi'i baentio'n stribedi coch, gwyn, a glas, sef lliwiau cenedlaethol Slofacia. Roedd hefyd yn gwisgo het ffelt lydan gyda phlethen hir o wallt yn hongian y naill ochr a'r llall iddi, i ddynwared yr arwr gwerin Slofacaidd Juraj Jánošík, oedd yn dwyn oddi ar y cyfoethog ac yn rhoi'r arian i'r tlawd.

Roedd corff Rhian wedi'i baentio'n goch, gwyn a gwyrdd, ac roedd wedi'i gwisgo fel un o Ferched Beca. Bwriad y ddau oedd pwysleisio'r brawdgarwch rhwng trigolion y ddwy wlad a fu'n brwydro dros gyfiawnder.

Penderfynodd Al a Rhian ddechrau ar y daith bum milltir i'r ddinas am ddeg o'r gloch y bore. Roedd hwyliau'r ddau'n dda wrth i Al yrru'r camperfan yn bwyllog drwy'r maes gwersylla, ond arafodd y fan pan welodd Al fenyw yn darllen llyfr. Yn ei hymyl roedd dyn bach moel gyda mwstásh, yn gwisgo siorts tyn ac yn yfed paned o de. Ni allai Al gredu ei lwc pan sylweddolodd mai hwn oedd y cnaf a'i gamgyhuddodd o fewnforio cyffuriau i Ffrainc.

– Beth ti'n wneud? gofynnodd Rhian wrth i Al stopio'r fan ger y garafán. Yna, gwelodd Les a Delyth Welsh yn eistedd o'i blaen. Cyn iddi allu atal Al rhag gadael y fan, roedd hwnnw wedi neidio allan ac yn cerdded tuag at Les a Delyth.

Gwelodd Les greadur mewn het lydan a gwallt hir mewn plethau yn brasgamu tuag ato.

– Pwy yw hwn? Boy George? gofynnodd i Delyth gan godi ar ei draed.

Erbyn hyn roedd Rhian wedi dal i fyny ag Al ac yn erfyn arno i beidio â gwneud dim byd twp, gan geisio'i dynnu yn ôl.

– Al ... plis ... cofia dy fod wedi cael dedfryd ohiriedig.

– Ddim yn Ffrainc dwi ddim! atebodd Al o dan ei wynt, gan glosio at Les.

– Cymry! Dilynwyr pêl-droed meddw mwy na thebyg. Mi sortia i hyn, meddai Les wrth Delyth gan glywed Al a Rhian yn dadlau'n Gymraeg. Ond wrth iddo sylweddoli mai'r 'hwrgi blewog' oedd o dan yr het, yn edrych yn fygythiol arno, teimlai Les yn llai hyderus.

– Dwi eisiau ymddiheuriad am beth wnaethoch chi yn St Malo, taranodd Al.

– Plis, Al ... meddylia amdana i ... meddylia am ein perthynas ... meddylia am Oli'r Octopws, erfyniodd Rhian wrth i Al sefyll wyneb yn wyneb â Les.

– Wnes i ddim byd o'i le, *pal*. Dim ond bod yn ddinesydd da, atebodd Les.

– Ges i fy nghamgyhuddo o dy herwydd di, y diawl twp.

Erbyn hyn roedd y ddau drwyn wrth drwyn.

– Pwy wyt ti'n ei alw'n ddiawl twp?

Yn sydyn, bu'n rhaid i Les gamu'n ôl, wrth i Delyth wthio i mewn rhyngddo ef ac Al.

– Ymddiheura iddo fe, Les, meddai'n awdurdodol.

– Pwy? Fi?

– Ie. Ti. Ti oedd ar fai. Doedd gen ti ddim tystiolaeth ei fod yn ysmygu cyffuriau.

– Doedd e ddim. Sigarét lysieuol oedd hi, meddai Rhian yn dawel, gan lwyddo i dynnu Al gam yn ôl.

Roedd Les ar fin ildio pan welodd fod y Slofac, Viktor Sestak, a'i gyfoedion wedi ymuno â nhw.

– Oi! Oi! Oi! Beth yw'r holl sŵn 'ma? Ry'n ni'n ceisio mwynhau ein gwyliau mewn tawelwch. Ro'n i'n amau y byddech chi'n achosi trafferth, mistar mwstásh. Gormod o win, ife? meddai Viktor wrth Les, cyn troi at Al.

– Pwy y'ch chi? Boy George? gofynnodd, cyn i'w ffrind, Ondrey, ddyfalu bod Al wedi'i wisgo fel Juraj Jánošík.

– Edrychwch, bois. Juraj Jánošík! gwaeddodd, a dechreuodd Juraj a Jan ganu cân werin yn moli eu harwr, a gafodd ei grogi gan yr awdurdodau yn 1713.

Ymhen amrantiad roedd y pedwar Slofac hanner meddw wedi codi Al ar eu hysgwyddau a'i gario ar hyd y maes gwersylla, gan ganu'n uchel. Aethant heibio i'r bwrdd llawn poteli o flaen camperfan y Slofaciaid. Yno yn cysgu'n dawel yr oedd Emyr

Owen, oedd newydd yfed tair potelaid o'r cwrw cryf, Zlatý Bažant.

– Reit. Rwy'n mynd am dro meddai Les, gan wylio'r pump yn diflannu i'r pellter.

– Ie. Cer o 'ngolwg i, a phaid â dod nôl tan i ti gallio, meddai Delyth yn chwyrn, wrth i Les gerdded i ffwrdd. – Wnaiff e byth ddysgu, mwmialodd wrthi'i hun, cyn troi at Rhian oedd yn dal i wylio Al yn cael ei gario ymaith gan Viktor a'i ffrindiau.

– Peidiwch â phoeni. Mi fyddan nhw 'nôl mewn munud neu ddwy, rwy'n siŵr. Ry'ch chi'n edrych fel petai angen cwpanaid o de arnoch chi, meddai, gan wenu'n siriol ar Rhian.

– Bydde'n well gen i wydraid o win ... atebodd Rhian, gan edrych ar y botel roedd Les wedi'i hagor y bore hwnnw er mwyn gadael i'r gwin anadlu cyn iddo ddechrau ei yfed yn ystod y prynhawn.

– Prynodd Les y botel 'na ym Mortagne-sur-Gironde ddoe. Mae'n botel ddrud iawn. 'Se fe'n wallgo petaen ni'n ei hyfed, meddai Delyth. – Ond ry'n ni'n mynd i'w yfed hi, on'd y'n ni? ychwanegodd yn ddireidus, gan estyn gwydr i gyfeiriad Rhian.

– Rhian ... Rhian James.

– Delyth ... Delyth Welsh.

Hanner awr yn ddiweddarach, roedd y ddwy'n eistedd yn gysurus yn y garafán ar ôl gorffen y botelaid a rhoi'r byd yn ei le. Ymddiheurodd Rhian am ymddygiad Al, gan esbonio ei helbulon yn dilyn yr anghydfod am Oli'r Octopws. Ychwanegodd fod y daith i Ffrainc nid yn unig yn gyfle i werthu nwyddau yn Bordeaux, Lens a Toulouse ond yn brawf ar eu perthynas.

– Mae ganddon ni bants, crysau T a hetiau, heb sôn am gant o bennau daffodil ac ugain cenhinen blastig fawr, eglurodd Rhian.

– Ro'n i'n meddwl mai cefnogwyr rygbi oedd yn gwisgo'r pennau daffodil ac yn cario cennin plastig, meddai Delyth.

– Dyna od. Mi ddwedodd Al yr un peth pan brynon ni'r nwyddau gan y cyfanwerthwr yng Nghaerdydd. Ond mi ddwedodd hwnnw nad oedd unrhyw wahaniaeth rhwng cefnogwyr pêl-droed a chefnogwyr rygbi, meddai Rhian.

Ymddiheurodd Delyth am ymddygiad Les, gan esbonio pam ei fod wedi gorfod ymddeol o'i waith fel athro cyn sôn am ei helbulon gyda'r BRA ar ôl iddo orffen dysgu.

– Falle bod y daith yma'n brawf ar ein perthynas ni hefyd, myfyriodd Delyth yn drist. – Rwy'n ofni dy fod ti gyda dyn sy'n debyg iawn i Les.

– Ac rwy'n ofni ein bod ni'n dwy'n gaethweision iddyn nhw, atebodd Rhian.

– Ond rwyt ti'n ifanc. Does gen ti ddim cyfrifoldebau. Mi allet ti adael Al fory. Dyw hi ddim mor rhwydd i rywun o'm hoedran i ... ac am ryw reswm dwi'n dal i garu Les, er ei fod yn hen ffŵl ar adegau.

Curodd rhywun ar ddrws y garafán.

– Dewch i mewn, gwaeddodd Delyth.

Camodd Terry O'Shea i mewn i'r garafán, gan ddal bag siopa plastig yn ei law.

– Mae'n flin gen i'ch poeni eto, Delyth ... ond ... dyma anrheg ar gyfer yr ŵyr neu'r wyres, meddai, gan dynnu tegan draig goch allan o'r bag a'i roi i Delyth.

Cafodd Terry'r syniad o roi'r tegan i Delyth pan ddychwelodd i'r Ace Capri 500 a gweld nad oedd Emyr yno. Pan welodd gynffon y ddraig fach o dan y gobennydd ar wely Emyr, meddyliodd y byddai'r tegan yn codi calon Delyth. Roedd Emyr yn berson caredig ac roedd Terry'n ffyddiog na fyddai ots ganddo.

– Gobeithio y bydd yr un bach yn ei hoffi, meddai Terry.

– Rwy'n siŵr y bydd e ... neu hi, atebodd Delyth. – Ry'ch chi'n garedig dros ben. Diolch yn fawr, ychwanegodd, gyda dagrau'n cronni yn ei llygaid eto.

Ffarweliodd Terry â'r ddwy, gan deimlo'n fodlon ei fod wedi helpu i gysuro Delyth y bore hwnnw. Wrth iddo adael, clywodd rywun yn chwyrnu'n braf yr ochr arall i'r garafán. Dyna sŵn cyfarwydd, meddyliodd. Camodd o amgylch y garafán a gweld Emyr yn cysgu'n braf ger camperfan y Slofaciaid gyda nifer o boteli cwrw o'i flaen.

Ochneidiodd Terry. Ceryddodd ei hun am anghofio mai ei

swyddogaeth yn ystod rhan gyntaf y daith oedd gwarchod Emyr. Roedd y dyn ifanc wedi mynd ar gyfeiliorn gyda dilynwyr eraill Cymru yn barod y bore hwnnw, meddyliodd. Llwyddodd i ddeffro Emyr ar ôl ei siglo sawl tro, cyn dechrau ei dywys yn ôl i'w wely.

Bum munud yn ddiweddarach, dychwelodd y Slofaciaid i'w camperfan. Gadawodd Al nhw ar ôl i bawb ei gofleidio sawl tro.

– Well inni fynd, meddai Rhian, gan godi ar ei thraed yn sigledig wrth i'r gwin gael ei effaith. – Cofiwch, Delyth. Dyw hi byth yn rhy hwyr i newid eich bywyd. Dim ond un bywyd gawn ni, ychwanegodd, yn ansicr a oedd hi'n siarad gyda Delyth neu gyda hi'i hun.

– Cofiwch gysylltu os y'ch chi yn Lens neu Toulouse, neu Gaerdydd rywbryd, mynnodd, gan roi ei cherdyn busnes hi ac Al i Delyth. Erbyn hyn roedd Al wedi stelcian tuag at garafán Delyth, gan obeithio nad oedd Les o gwmpas.

– Dyw e ddim 'ma, meddai Rhian yn chwyrn wrtho. – Dere 'mla'n ... mae gen ti dipyn o waith esbonio ... heb sôn am ymddiheuro. A ti sy'n gyrru, ychwanegodd, gan gerdded yn gyflym tuag at y camperfan. Chwifiodd Al ei fraich yn wan ar Delyth cyn dilyn Rhian yn benisel.

Ganllath i ffwrdd eisteddai dau ddyn yn eu pedwardegau cynnar ger eu camperfan SUV du. I bob pwrpas roeddent wrthi'n mwynhau eu bore Sadwrn, gan ddefnyddio binocwlars i astudio'r adar yn y coed ym maes gwersylla Toujours Bordeaux.

Ond mewn gwirionedd roedd Alexei Maximovich Peshkov a Semyon Smerdyakov Marmeladov wedi bod yn gwylio'r holl fynd a dod y tu allan i garafán Les a Delyth Welsh a chartref symudol y Slofaciaid dros yr awr ddiwethaf.

13.

Cyrhaeddodd Terry ac Emyr y maes parcio agosaf at stadiwm pêl-droed Nouveau Stade de Bordeaux toc cyn pedwar o'r gloch y prynhawn hwnnw. Roedd hynny'n rhoi dwy awr iddyn nhw gyrraedd eu seddi cyn i'r gêm rhwng Cymru a Slofacia ddechrau am chwech o'r gloch.

Roedd Emyr wedi treulio'r bore'n cysgu yn y camperfan cyn i Terry ei ddeffro am dri o'r gloch gan ddweud ei bod hi'n amser iddyn nhw ddechrau ar eu taith i Bordeaux.

– Bydd yn rhaid iti ddweud wrtha i ble rwyt ti'n mynd o hyn ymlaen, meddai Terry'n gadarn, wrth iddo yrru i mewn i'r ddinas.

– Rwyt ti'n cael dy dalu i 'ngwarchod i, Terry. Nid fy ngharcharwr i wyt ti. Beth oedd yn bod ar gael dwy neu dair potelaid o gwrw gyda phobl gyfeillgar fel Viktor a'i ffrindiau? Dyna un o'r pethau gorau am deithiau fel hyn. Cwrdd â ffrindiau newydd, atebodd Emyr, oedd wedi adfywio'n llwyr erbyn hyn.

– Dwi ddim yn trystio'r Slofaciaid. O 'mhrofiad i yn y Legion maen nhw'n bobl annibynadwy ... meddai Terry, gan lywio'r fan tuag at y stadiwm yng ngogledd y ddinas.

– Ddylet ti ddim cyffredinoli fel'na Terry, chwarddodd Emyr, gan droi'i ben a gweld nad oedd Terry'n chwerthin. – Beth am y Saeson?

– Llwfr.

– Y Cymry?

– Rhagrithiol ... a nawddoglyd.

– Y Rwsiaid?

Oedodd Terry gan wybod bod Steffan Zelezki yn dod o dras Rwsiaidd.

– Didostur.

Chwarddodd Emyr unwaith eto, gan ystyried bod ei ewythr yn rhagrithiwr nawddoglyd, didostur os oedd damcaniaeth Terry am bobl yn wir.

– Falle byddi di'n newid dy feddwl am y Slofaciaid heno oherwydd dwi wedi trefnu i gwrdd â Viktor a'i ffrindiau mewn tafarn yng nghanol Bordeaux ar ôl y gêm.

– Ond ...

– Does dim 'ond' amdani, Terry. Rwyt ti yma i 'ngwarchod

i ond dwyt ti ddim yma i'm hatal i rhag mwynhau fy hun. Ond dwi yma i dy annog di i fwynhau dy hun.

Roedd y gêm yn un gofiadwy, wrth gwrs. Ymunodd Terry ac Emyr â thros 25,000 o Gymry eraill i wylio'u tîm pêl-droed yn ennill eu gêm gyntaf mewn pencampwriaeth ryngwladol er 1958 o ddwy gôl i un.

Bu'n rhaid i Terry ildio i ddymuniadau Emyr ar ddiwedd y gêm, a chwrdd â Viktor a'r tri arall yn nhafarn y Charles Dickens, fel y gwnaeth cannoedd o bobl eraill. Serch hynny, ni thwymodd Terry at gefnogwyr meddw Cymru na'r Slofaciaid wrth iddo ymuno ag Emyr a dilynwyr y ddwy wlad yn y dafarn y noson honno.

– Cymerwch ddiod, Terry, mynnodd Viktor.

– Na. Dim diolch. Rwy'n gyrru.

– Dere mla'n ... wnaiff un botel o gwrw ddim dy ladd di, anogodd Emyr.

– Dim diolch. Dwi ddim yn llawer o yfwr, meddai Terry.

– Nid gofyn o'n i ond gorchymyn, sibrydodd Emyr yn gadarn yn ei glust. – Does dim rhaid iti weithio 24 awr y dydd, dwyt ti ddim yn y Legion nawr.

– Iawn ... ond dim ond un i fod yn gyfeillgar, cytunodd Terry, gan yfed o botel a brynodd Ondrey iddo.

Ymhen pum munud roedd y gweddill wedi gorffen eu diodydd, a bu'n rhaid i Terry orffen cynnwys ei botel yntau mewn un llwnc cyn gadael y dafarn a cherdded ar hyd strydoedd canol dinas Bordeaux i'r dafarn nesaf, y Dog and Duck.

Yn sydyn, teimlodd Terry braidd yn simsan, a'r peth olaf a welodd oedd Ondrey a Juraj yn llusgo Emyr, oedd eisoes yn anymwybodol, trwy ganol y cannoedd o gefnogwyr pêl-droed oedd yn dathlu yng nghanol y ddinas.

Yna aeth popeth yn ddu wrth iddo deimlo breichiau Jan a Viktor o dan ei geseiliau.

14.

Bwriad Les oedd treulio'r prynhawn yng nghwmni Delyth yn eistedd y tu allan i'r garafán ym maes gwersylla Toujours Bordeaux. Cododd ei galon pan welodd gamperfan y Slofaciaid yn gadael y maes ar ddechrau'r prynhawn yng nghwmni nifer o gerbydau eraill oedd yn berchen i ddilynwyr pêl-droed y ddwy wlad.

– Diolch byth bod y Cymry'n mynd 'fyd, meddai Les. Cafodd ei anwybyddu'n llwyr gan Delyth, oedd yn ceisio canolbwyntio ar ddarllen y nofel *La Naissance du Jour* gan Colette yn yr iaith wreiddiol.

Roedd Delyth wedi dechrau cael blas ar syniadau Colette am broblemau menywod, annibyniaeth a bywyd priodasol pan sylweddolodd fod Les yn dal i draethu.

– Ro'n i'n meddwl 'mod i'n hanner nabod rhai ohonyn nhw. Mae wedi bod fel maes y Steddfod 'ma.

– Dyna neis, atebodd Delyth heb godi'i llygaid o'r dudalen.

– Nid neis o gwbl, Delyth. Dilynwyr pêl-droed? Phht. Dynion canol oed sydd wedi moeli a magu boliau ac sy'n ceisio dygymod â methiannau bywyd drwy ail-greu eu hieuenctid, taranodd Les.

– Yn wahanol i ti, wrth gwrs, meddai Delyth.

– Yn hollol, Delyth. Yn hollol. Maen nhw'n meddwl bod hanes Cymru wedi dechrau yn 1958, wfftiodd Les.

– ... yn hytrach nag 1356, mwmialodd Delyth o dan ei gwynt. Suddodd calon Les ymhellach ddeng munud yn ddiweddarach pan ganodd ei ffôn symudol. Griddfanodd pan welodd mai ei fab, Owain, oedd yn ei ffonio o Brydain. Gwyddai Les y byddai'r alwad yn costio 4.4 ceiniog y funud petai'n ei hateb.

– Wel ... ateb e, Les, mynnodd Delyth.

Atebodd Les y ffôn a chlywed llais Owain.

– Wyt ti wedi clywed newyddion Gwenllïan, Dad?

– Do ... damio ... does dim llawer o fatri 'da fi. Allet ti ffonio dy fam? gofynnodd Les gan ddiffodd y ffôn. Cymerodd Delyth y teclyn o'i law eiliad yn ddiweddarach a syllu ar y sgrin.

– Dyw'r batri ddim yn fflat ... rwyt ti'n rhy dynn i dderbyn galwadau ffôn o dramor, on'd wyt ti? Glywais i'r malu awyr 'na 'da Gwenllïan bore 'ma.

– Mae'n costio 4.4 ceiniog y funud i dderbyn galwad, Delyth, ac mae'n rhaid i mi fyw ar fy mhensiwn ar hyn o bryd. Dim ond 53 oed ydw i. Dwi ddim yn graig o arian, cwynodd Les wrth i ffôn Delyth ganu.

– Helô Mam ... ydy Dad yn iawn? gofynnodd Owain.

– Dim gwaeth na'r arfer, atebodd Delyth.

Awr a hanner yn ddiweddarach eisteddai Les yn y Citroën Xsara Picasso, oedd wedi'i barcio y tu allan i siop gwerthu ac adnewyddu ffonau ar gyrion dinas Bordeaux. Roedd Delyth wedi dod o hyd i'r siop ar y we ac wedi mynnu eu bod yn gyrru yno'r prynhawn hwnnw.

Daeth Delyth allan o'r siop gyda hwdi dros ei phen am ei bod yn bwrw glaw'n drwm, ac ymuno â Les yn y car.

– Reit. Dyma ffôn 'talu wrth fynd' iti ei ddefnyddio tra byddwn ni yn Ffrainc. A dwi wedi prynu un i mi fy hun hefyd, meddai, gan roi un ffôn yn ei bag a rhoi'r llall i Les. – Paid â phoeni. Fydd e ddim yn costio ceiniog iti. Dim ond 20 Ewro yr un oedden nhw ac mae 20 Ewro o gredyd ar y ddau. Tro'r ffôn arall bant a fydd neb yn gallu cysylltu 'da ti.

– Ond pam wyt ti wedi prynu un i ti dy hun? gofynnodd Les gan edrych yn graff ar y ffôn.

– Oherwydd dy fod ti wastad yn gorfod cael yr un peth â mi. Rwyt ti'n genfigennus os gaf i bryd gwell o fwyd na ti hyd yn oed, a dwi'n gwybod y byddi di'n cwyno os bydda i'n dal i ddefnyddio fy i-ffôn er dy fod ti'n rhy grintachlyd i ddefnyddio dy un di, eglurodd Delyth cyn ychwanegu, – Dere â dy ffôn i mi ... 'na ni. Un peth yn llai i boeni amdano yn ystod y gwyliau, Leslie.

Dychwelodd y ddau i faes gwersylla Toujours Bordeaux gan fwynhau gweddill y diwrnod yng nghwmni ei gilydd, yn eistedd yn eu hadlen yn trafod amserlen eu cyfnod yn ardal Bordeaux.

Ceisiodd Delyth berswadio Les fod Al Edwards a Rhian James yn bobl ifanc ddymunol, gan sôn am eu cynllun i werthu nwyddau yn ystod gemau Cymru yn Bordeaux, Lens a Toulouse. Ond roedd gan Les fwy o ddiddordeb yn y ffaith fod Delyth ac yntau'n bwriadu teithio'r cylch hudol o amgylch Bordeaux, gan ymweld â gwinllannoedd y Médoc, St Émilion, Entre-Deux-Mers a Sauterne.

Er i'r ddau yfed eu gwin yn araf trwy'r dydd, dechreuodd y grawnwin gael effaith fwyn arnynt wrth i'r prynhawn droi'n nos. Dechreuodd Delyth ystyried ei bod hi'n rhy feirniadol o Les ar adegau. Roedd e'n ddyn caredig ac addfwyn oedd wedi gorfod rhoi'r gorau i'w waith a'i brif ddiddordeb yn ystod y flwyddyn flaenorol. Sylweddolodd fod Les yn haeddu'r gwyliau lawn cymaint â hi.

Roedd geiriau'r dieithryn, y *Poursuivant d'Amour* a hebryngodd Delyth yn ôl o'r siop y bore hwnnw, wedi cael cryn effaith ar Les. Sylweddolodd ei fod yn cymryd Delyth yn ganiataol oherwydd ei obsesiwn ag ail-greu brwydrau hanesyddol. Roedd wedi anghofio ei fod yn briod â menyw ddeniadol iawn nes i'r *Poursuivant d'Amour* ei atgoffa o hynny. Falle fod pen-ôl Delyth wedi lledu rhywfaint dros y blynyddoedd, ond wrth iddi blygu i godi potelaid arall o win Mortagne-sur-Gironde tua'r un adeg ag y dechreuodd yr ornest rhwng Cymru a Slofacia, roedd y pen-ôl hwnnw'n edrych yn atyniadol iawn.

Mae'n syndod sut mae cenfigen a photel a hanner o win yn gallu effeithio ar ddyn. Eiliad yn ddiweddarach roedd Les wedi codi o'i sedd ac wedi camu ar draws yr adlen i gofleidio'i wraig.

– Les! Be ti'n wneud? gofynnodd Delyth gan weld fod llygaid Les yn pefrio.

– Dere 'ma, *mon cherie*, meddai Les, gan gusanu Delyth yn ffyrnig.

– *Ma cherie* yw e, Les ... ond does dim ots am hynny nawr,

meddai'r athrawes Ffrangeg, gan dynnu Les yn ôl ati a'i gusanu yntau yr un mor ffyrnig cyn ei dywys i mewn i'r garafán.

Tra bod Cymru'n curo Slofacia o ddwy gôl i un y noson honno, bu Les a Delyth hefyd wrthi'n chwarae'n frwdfrydig am awr a hanner. Y canlyniad? Enillodd Les o ddwy gôl i un.

15.

Roedd Rhian James wedi anghofio am yr anghydfod rhwng Al a Les Welsh erbyn iddi yrru'r camperfan yn ôl i faes gwersylla Toujours Bordeaux am un ar ddeg o'r gloch y noson honno.

Roedd y ddau wedi ennill dros 100 Ewro yn perfformio fel cerfluniau byw yng nghanol Bordeaux yn ystod y prynhawn. Ond bu eu hymdrechion i werthu nwyddau'n llai llwyddiannus pan sylweddolon nhw fod pennau daffodil a chennin plastig yn wrthun i ddilynwyr pêl-droed Cymru. Bu'n rhaid iddyn nhw guddio'r nwyddau hynny o'r golwg ar ôl i sawl un wneud sylwadau hallt amdanynt.

Serch hynny, llwyddodd y ddau i wneud elw o 100 Ewro yn gwerthu dillad a phaentio wynebau haid o'r dilynwyr cyn y gêm.

Penderfynodd y ddau ddathlu eu llwyddiant drwy gael pryd o fwyd llysieuol mewn bwyty ar gyrion y ddinas cyn gyrru'n ôl i'r maes gwersylla. Ond nid oedd Al Edwards wedi anghofio am Les Welsh. Pan ymddangosodd y Slofaciaid a chario Al o amgylch y maes gwersylla'r bore hwnnw, bu'n esgus da i Les osgoi ymddiheuro iddo am ei gyhuddo o fewnforio cyffuriau i Ffrainc, meddyliodd.

Roedd Al yn ysu i ddial ar Les ond gwyddai y byddai Rhian yn siŵr o'i adael petai'n ymosod ar y diawl rhwysgfawr. Cafodd syniad pan oedd wrthi'n rhoi trefn ar y nwyddau yng nghefn y camperfan VW cyn i Rhian ac yntau fynd i glwydo. Erbyn iddo orffen y gwaith roedd Rhian eisoes wedi mynd i'r gwely ac yn cysgu'n drwm.

Estynnodd Al o dan y gwely am ei lamp pen. Gosododd

honno ar ei dalcen a dychwelyd i gefn y camperfan, cyn cymryd yr hyn roedd ei angen arno a'i roi mewn bag, yna sleifio'n araf i ochr arall y maes gwersylla. Roedd hi'n dawel yno heblaw am sŵn ambell wersyllwr yn siarad neu'n chwyrnu y tu mewn i'w gerbyd.

Cyrhaeddodd garafán Les a Delyth, a chlywed y ddau'n chwyrnu'n braf. Gwenodd cyn dechrau ar ei waith.

Dydd Sul 12 Mehefin

16.

Deffrôdd Al Edwards am hanner awr wedi chwech pan ganodd larwm ei ffôn. Cododd ar unwaith, gwisgo'n gyflym, yna deffro Rhian.

– Well inni fynd, Rhian, meddai, gan gofio beth roedd wedi ei gyflawni'r noson cynt.

– Pam? Faint o'r gloch yw hi?

– Hanner awr wedi chwech. Dwi am osgoi'r traffig.

– Ond mae'n ddydd Sul, Al.

– Cer 'nôl i gysgu. Mi ddeffra i ti pan gyrhaeddwn ni Tours.

– Iawn, cytunodd Rhian, cyn troi ar ei hochr a mynd yn ôl i gysgu.

Bum munud yn ddiweddarach roedd Al wedi gyrru'r camperfan VW allan o'r maes gwersylla gan gychwyn ar y daith i Baris, lle byddai Rhian ac yntau'n treulio'r tridiau canlynol cyn symud ymlaen i Lens ar gyfer gêm Cymru yn erbyn Lloegr ddydd Iau. Teimlai ryddhad ei fod wedi llwyddo i ddial ar Les Welsh, gan wybod na fyddai'n gweld y cnaf hwnnw byth eto. Sylweddolodd Al nad oedd wedi teimlo cystal ynddo'i hun ers iddo ymosod ar y cynhyrchydd teledu flwyddyn ynghynt.

17

Roedd Les Welsh ar ben ei ddigon pan ddeffrôdd am hanner awr wedi saith y bore, gydag ychydig o ben tost. Deffrôdd Delyth ddeng munud yn ddiweddarach, a gweld Les yn rhoi paned o goffi a *croissant* siocled ar y bwrdd ger y gwely.

Rhoddodd Les sws glec ar dalcen Delyth a gwenu'n siriol ar ei wraig.

– A wnaethon ni ...?

– Do ... ddwywaith.

– Be ddaeth drostot ti, Leslie Welsh? chwarddodd Delyth gan eistedd i fyny yn y gwely a chymryd llymaid o'i choffi.

– Dechrau o'r newydd amdani, Delyth. Troi tudalen newydd, meddai Les gan yfed ei goffi mewn un llwnc a chodi ar ei draed.

– Mae angen imi fynd i nôl mwy o ddŵr ar gyfer y garafán. Mae'r gasgen bron yn wag, meddai, gan roi sws glec arall i Delyth cyn gadael y garafán.

Caeodd Delyth ei llygaid am ennyd gan feddwl gymaint roedd hi'n caru Les pan nad oedd e'n gadael i bethau ei gythruddo. Parodd y teimlad am ddeg eiliad cyn iddi glywed Les yn gweiddi.

– Delyth! Delyth! Dere 'ma. Edrych beth ma'r hwrgi blewog 'na wedi'i wneud!

Ochneidiodd Delyth gan daflu côt amdani a rhuthro allan o'r garafán i ymuno â Les yr ochr arall i'r cerbyd. Ni allai gredu'i llygaid pan welodd beth oedd wedi'i baentio ar ochr y garafán.

O'i blaen roedd cartŵn o Les yn sefyll â gwên angylaidd ar ei wyneb, gyda llygaid croes a sbliff anferth yn ei geg. Roedd ei siorts a'i bants o gwmpas ei fferau. Y tu ôl iddo safai portread gwych o'r swyddog a'i harestiodd yn St Malo. Roedd hwnnw'n gwisgo maneg rwber ar ei law dde, ond ni wyddai Delyth a oedd ganddo faneg ar ei law chwith am fod honno wedi diflannu i fyny pen-ôl Les.

– Y blydi hwrgi blewog 'na sydd wedi gwneud hyn, taranodd Les.

– Sut wyt ti'n gwybod?

– Wel mae Tony Hart wedi marw ac mae Rolf Harris dan glo, felly nid nhw sydd wedi gwneud hyn, ife? gwaeddodd Les yn sarcastig, cyn pwyntio at waelod y cartŵn. – A ta beth, mae … mae … mae'r diawl digywilydd wedi arwyddo'r llun!

Syllodd Delyth yn syn ar lofnod Oli'r Octopws ar waelod y darlun.

– Soniaist ti'r prynhawn 'ma fod yr hwrgi blewog wedi creu cymeriad cartŵn o'r enw Oli'r Octopws. Mae'r diawl wedi pardduo f'enw da i, meddai Les yn gynddeiriog.

– Dwi ddim yn siŵr, Les.

– Ddim yn siŵr? Ddim yn siŵr? Mae'r cartŵn yn fy nangos i'n smygu cyffuriau ac yn mwynhau fy hun tra bod swyddog yn hwpo'i law lan fy mhen-ôl.

– Falle mai sigarét lysieuol yw hi, awgrymodd Delyth yn gellweirus, wrth i Les edrych yn syn arni. – … ac mae'n ffaith fod y swyddog wedi cyflawni'r weithred yn St Malo … ychwanegodd, cyn brysio'n ôl i'r garafán i chwerthin yn ei dyblau am eiliadau hir cyn dychwelyd gyda'i ffôn yn ei llaw.

– Be ti'n wneud? gofynnodd Les wrth i Delyth dynnu llun ohono yntau a'r cartŵn yn eu holl ogoniant.

– Tystiolaeth, Les. Tystiolaeth, atebodd Delyth yn ffug ddifrifol, gan anfon y llun i ffôn ei gŵr cyn ei anfon at ei phlant heb yn wybod i Les.

– O leia does dim llawer o bobl wedi codi eto, diolchodd Les, gan gamu i ochr arall y garafán i nôl gorchudd llawr yr adlen i'w daflu dros y cartŵn. Yna cerddodd o amgylch y maes gwersylla cyfan yn chwilio am gamperfan Al a Rhian, ond yn ofer.

Awr yn ddiweddarach roedd y ddau wedi llwyddo i gael gwared â'r llun anweddus gyda chymorth dwy botelaid o dyrpentein a brynodd Delyth o siop y maes gwersylla.

– Reit. Nawr fe allwn ni ddechrau mwynhau gweddill ein gwyliau, meddai Delyth. – Ble y'n ni'n mynd heddiw, Les? Ardal y Médoc?

– Go brin, Delyth. Go brin, atebodd Les gan ddechrau'r

broses o osod y garafán ar fachyn llusgo'r Citroën Xsara Picasso. – Mae'r diawl 'na'n mynd i orfod talu'n hallt am hyn, Delyth ... yn ariannol ac yn gorfforol.

– Sut ddoi di o hyd iddyn nhw? Chwiliest ti amdanyn nhw gynne. Maen nhw wedi hen ddiflannu, meddai Delyth, gan obeithio bod Les wedi anghofio iddi sôn fod Al a Rhian yn bwriadu teithio i Lens i werthu'u nwyddau cyn yr ornest rhwng Cymru a Lloegr.

– Ddwedodd sboner y cartwnydd diawl wrthot ti eu bod nhw'n mynd i Lens i werthu'u nwyddau cyn yr ornest rhwng Cymru a Lloegr ddydd Iau. Lwcus bod un ohonon ni o gwmpas ein pethau, Delyth, meddai Les yn hunangyfiawn, cyn agor drws y car. – Mae'r amserlen wedi newid, Delyth ... wedi newid yn gyfan gwbl. Mi allwn ni ymweld â bedd tad-cu yn ardal Arras am ei fod yn yr un ardal â Lens ... cyn rhoi syrpréis bach i Monsieur Al Edwards yn Lens brynhawn dydd Iau, ychwanegodd yn hyderus.

– A phryd y'n ni'n mynd i ymweld â Manon yn Clermont-Ferrand?

– Fe deithiwn ni i'r de i weld dy ffrind coleg ar ôl imi ddelio â Toulouse-Lautrec yn Lens ... ac ar ôl i mi orffen 'da fe fydd coesau Monsieur Al Edwards dipyn yn llai na rhai Monsieur Lautrec, oedd gair olaf Les ar y mater. Ni soniodd air wrth Delyth, wrth gwrs, am ei fwriad i deithio i ddinas Poitiers i ymuno â byddin Ffrainc fyddai'n brwydro yn erbyn y Saeson dros y penwythnos canlynol. Ystyriodd y byddai'n rhaid iddo fod yn ofalus wrth ddelio â Delyth mewn perthynas â'r cynllun hwnnw, wrth iddo lywio'r Citroën Xsara Picasso a'r garafán allan o faes gwersylla Toujours Bordeaux am hanner awr wedi naw'r bore hwnnw.

18.

Deffrodd Terry O'Shea o drwmgwsg toc wedi naw gyda phen tost ofnadwy. Agorodd ei lygaid a gweld ei fod wedi cysgu yn sedd gyrrwr y camperfan. Edrychodd i'r chwith a gweld bod Emyr yn chwyrnu'n drwm yn y sedd arall. Bu'n rhaid iddo siglo hwnnw hanner dwsin o weithiau cyn iddo ddeffro.

– Lle ydw i? gofynnodd Emyr, gan agor un llygad. – O! Fy mhen i, ychwanegodd, gan geisio agor ei lygad arall.

– Wyt ti'n cofio be ddigwyddodd? gofynnodd Terry gan bwyso ar draws y sedd.

– Roedd hi'n noson a hanner, mae'n siŵr, achos dwi'n cofio dim, cyfaddefodd Emyr wrth i Terry afael yn ei ben ac arogli'i anadl.

– Dwi ddim yn credu 'ny, neu mi fyddet ti'n gwynto fel bragdy'r bore 'ma, meddai Terry.

Camodd hwnnw allan o'r camperfan a sylweddoli bod y cerbyd yn yr un safle â'r prynhawn cynt. Ond yn ôl cof Terry, roedd yr Ace Capri 500 wedi bod ychydig yn nes at y llinell wen y pryd hynny, a awgrymai fod y cerbyd wedi cael ei symud yn ystod y deuddeng awr flaenorol.

Ymunodd Emyr â Terry y tu allan i'r cerbyd gan anadlu'n ddwfn.

– Be ddigwyddodd? gofynnodd Emyr.

– Tsiecia dy waled, gorchmynnodd Terry, oedd eisoes wedi tynnu'i waled ei hun o boced ei drowsus a darganfod nad oedd dim ar goll. Tynnodd Emyr ei waled yntau o boced ei siaced a gweld fod popeth yn ei le.

Yna cofiodd Emyr am y tegan draig goch gyda'r 200,000 Ewro ynddo. Rhuthrodd i gefn y camperfan a dechrau chwilio'n wyllt am y tegan.

– Mae rhywun wedi dwyn yr arian, gwaeddodd, wedi iddo chwilio'n ofer am bum munud.

– Arian? Pa arian? gofynnodd Terry gan ymuno ag Emyr yng nghefn y camperfan.

– Y 200,000 Ewro oedd yn y tegan draig goch, cyfaddefodd Emyr heb feddwl.

– Beth? Pam na wnest ti sôn am hyn yn gynt? gofynnodd Terry'n chwyrn.

– Am fod Wncwl Steffan wedi dweud wrtha i nad oeddet ti i fod i wybod am yr arian.

– Pam fydde fe'n dweud hynny?

– Sai'n gwybod. Falle nad yw e'n ymddiried ynot ti ...

– Ddywedodd e hynny?

– Naddo ... ond falle bod e'n meddwl y byddai'n weddol rwydd i rywun oedd yn arfer byw yn Ffrainc ddiflannu gyda chymaint o arian ... meddai Emyr, cyn i Terry ei wthio yn erbyn ochr y fan.

– Wyt ti'n meddwl hynny? gofynnodd Terry, a'i lygaid yn fflachio.

– Na ... wrth gwrs 'ny ... dim ond meddwl pam na fyddai Wncwl Steffan yn ymddiried ynot ti, 'na i gyd. Callia, Terry.

– Iawn ... ond mi ddylet ti fod wedi ymddiried ynddo i, meddai Terry gan dynnu'i ddwylo oddi ar siaced Emyr.

– Beth y'n ni'n mynd i'w wneud, Terry? Dyma fy jobyn cynta i i'r cwmni a dwi wedi colli 200,000 Ewro. Beth ddweda i wrth Wncwl Steffan?

– ... a fi oedd i fod i dy warchod di. Beth ddweda i wrth Wncwl Steffan?

– Mae'n amlwg mai'r Slofaciaid sydd wedi mynd â'r tegan. Dwi ddim yn deall sut roedden nhw'n gwybod fod yr arian 'na, ond mae'n rhaid inni ddod o hyd iddyn nhw ... parablodd Emyr, tra oedd Terry'n ceisio meddwl.

– Dyw'r tegan ddim gan y Slofaciaid, meddai'n dawel.

– Beth?

– Dyw'r tegan ddim gan y Slofaciaid. Mae'r tegan gan fenyw o'r enw Delyth Welsh.

– Pwy? A sut wyt ti'n gwybod hynny?

– Am mai fi roddodd y tegan iddi.

– Ond pam yn y byd fyddet ti'n gwneud hynny?

– Am na ddywedest ti wrtho i fod 200,000 Ewro yn y tegan, meddai Terry'n chwyrn cyn cau ei lygaid am eiliad a dweud, – Mae'n flin gen i. Fy mai oedd e. Anrheg oedd e.

– O na! Trio cael dy hun mewn i nicyrs menyw arall, siŵr o fod!

– Na. Mae hi'n mynd i fod yn fam-gu. Dim ond ceisio bod yn garedig o'n i. Roedd hi'n ypsét. A do'n i ddim yn gwybod bod y tegan yn cynnwys 200,000 Ewro.

– Ond ble mae hi, Terry? Mae'n rhaid inni gael yr arian 'na 'nôl.

– Dwi'n gwybod yn union ble mae Delyth Welsh. Neidia mewn i'r fan, Emyr. Mi fydd y tegan 'nôl yn dy gôl o fewn hanner awr.

Ond roedd Emyr mewn mwy fyth o banig hanner awr yn ddiweddarach, pan gyrhaeddodd Terry ac yntau faes gwersylla Toujours Bordeaux. Safodd y ddau o flaen y llain wag lle roedd car a charafán Les a Delyth Welsh y diwrnod cynt. Sylwodd Terry nad oedd camperfan y Slofaciaid drws nesaf yno ychwaith.

– Beth y'n ni'n mynd i'w wneud, Terry? Neu'n hytrach, beth wyt *ti*'n mynd i'w wneud? Sut alla i esbonio i Wncwl Steffan dy fod ti wedi rhoi 200,000 Ewro i fenyw ddierth? ... Helô Wncwl Steffan ... Wyt ti'n cofio'r arian ar gyfer yr elusen? ... Wel, gobeithio nag oes ots gen ti ond mae Terry wedi penderfynu rhoi'r cwbl i Gymraes ganol oed ... ti'n iawn ... maen nhw'n haeddu'r arian 'fyd ... iawn ... ta ta ... ta ta ...

Safodd Terry'n dawel gan anwybyddu llith Emyr, ac yntau'n gwybod nad oedd yr arian wedi'i fwriadu ar gyfer elusen ond yn hytrach i ateb galw trachwantus oligarchiaid Rwsia oedd yn byw yn Llundain am gafiâr. Yna ceisiodd gofio rhywbeth roedd Delyth Welsh wedi'i ddweud wrtho pan oedden nhw'n trafod ei gwyliau hi a Les y tu allan i'r siop y bore cynt. Yn sydyn, daeth geiriau Delyth yn ôl iddo.

– Dere mla'n, meddai Terry, gan neidio i sedd y gyrrwr.

– Ble y'n ni'n mynd?

– Ardal Arras. Mi ddwedodd Delyth Welsh ei bod hi a'i gŵr yn bwriadu ymweld â bedd tad-cu ei gŵr, a fu farw ym mrwydr y Somme gan mlynedd yn ôl.

– Wyt ti'n sylweddoli faint gafodd eu lladd yn ystod y frwydr honno, Terry? Cannoedd o filoedd o bobl. Mi fydd fel chwilio am nodwydd mewn tas wair.

– Dim os mai tad i dad Les Welsh gafodd ei ladd. Os felly, dim ond dod o hyd i garreg fedd gyda'r cyfenw Welsh arni sydd angen inni wneud ... a faint o'r rheiny fydd yno? Dyw e ddim yn enw cyffredin fel Jones neu Davies, rhesymodd Terry.

– ... gan obeithio nad tad ei fam oedd e, meddai Emyr gan godi'i aeliau.

– Yn anffodus, dyna'r unig obaith sydd gennon ni ar hyn o bryd ... ac mae'n siawns 50-50.

– Iawn. I'r gogledd amdani. *Allez les Gallois*!

19.

Eisteddai dau ddyn yn dawel yn eu modur SUV anferth, gan wylio'r camperfan Ace Capri 500 yn gadael maes gwersylla Toujours Bordeaux.

O edrych arnynt o'r tu allan, yn eistedd yn seddi blaen y cerbyd, dim ond gwddf y gyrrwr, Semyon Smerdyakov Marmeladov, oedd i'w weld ar yr un uchder â thrwyn y llall, sef Alexei Maximovich Peshkov, oedd ychydig yn fwy na phum troedfedd o daldra. Roedd hwnnw wrthi'n darllen adroddiad am y gêm bêl-droed rhwng Rwsia a Lloegr y noson cynt ar ei i-ffôn. Dechreuodd y ddau sgwrsio'n dawel yn eu mamiaith.

– Rwy'n gweld bod y bois wedi rhoi cweir i fois Lloegr neithiwr, meddai Peshkov.

– Ro'n i'n meddwl mai gêm gyfartal oedd hi, atebodd Marmeladov.

– Do'n i ddim yn sôn am y pêl-droed, Marmeladov. Ro'n i'n cyfeirio at fuddugoliaeth yr Ultras yn erbyn hwliganiaid Lloegr ym Marseille, eglurodd Peshkov cyn newid trywydd y sgwrs.

– Wel ... mae Owen ac O'Shea wedi mynd.

– Ti'n iawn, Peshkov. Ti yn llygad dy le. Maen nhw wedi

mynd. Off â nhw. Ta ta, meddai Marmeladov. Ochneidiodd ac edrych ar ei fysedd, gan wybod petaen nhw hanner modfedd yn hirach y byddai wedi llwyddo, yn 1986 ac yntau'n ddeg oed, i gael ei dderbyn i Conservatoire Moscow i gael ei hyfforddi i fod yn bianydd proffesiynol.

Roedd Marmeladov yn bianydd talentog, ond yn dilyn llwyddiant chwaraewyr fel Azhkenazy, roedd awdurdodau'r Undeb Sofietaidd wedi penderfynu os nad oedd bysedd chwaraewyr talentog o hyd penodol, na chaent fynediad i'r Conservatoire. Dinistriwyd ei obeithion felly, ond dros yr ugain mlynedd nesaf, llwyddodd Marmeladov i arallgyfeirio, drwy ddefnyddio'i ddwylo cryfion i dagu gelynion ei gyflogwyr.

– Be ti'n mynd i ddeud wrth y bòs? gofynnodd Peshkov gan edrych yn heriol ar Marmeladov drwy ei lygad chwith. Roedd ei lygad dde ar gau'n barhaol ers iddo ei cholli mewn anghydfod gydag aelod o un o gangiau Moscow ddeng mlynedd ynghynt.

Roedd Alexei Maximovich Peshkov hefyd wedi bod yn anffodus yn ei fywyd cynnar. Er nad oedd ond pum troedfedd a thair modfedd o daldra roedd e'n gymnast gwych. Yn ystod blynyddoedd ei blentyndod roedd ei yrfa fel gymnast wedi mynd o nerth i nerth, nes iddo lwyddo i gyrraedd treialon Gemau Olympaidd 1992. Ond chwalwyd ei obeithion pan gafodd ei dad, oedd yn aelod o wasanaeth cudd yr FSB, ei arestio yn ystod y pwtsh yn erbyn arweinyddiaeth Boris Yeltsin. O hynny allan, bu'n rhaid i Alexei ddefnyddio'i sgiliau gymnasteg fel aelod o un o gangiau Moscow.

– Yn anffodus, mi fydd yn rhaid i'r bòs gael gwybod y gwir, atebodd Marmeladov, dyn tal, cydnerth gyda thatŵ ar ei wddf: tatŵ y gang a achosodd i Peshkov golli ei lygad.

Roedd y ddau wedi brwydro yn erbyn ei gilydd fel aelodau o'r gangiau di-ri fu'n rheoli Moscow dros y degawd cythryblus diwethaf, ond erbyn hyn roeddent yn cydweithio i ddyn busnes llewyrchus a wnaeth ei ffortiwn drwy fanteisio ar y gyflafan economaidd a achoswyd gan gwymp yr Undeb Sofietaidd yn yr 1990au cynnar.

Ond bu'n rhaid i'w cyflogwr, Boris 'y corryn' Petrovich, adael Rwsia a symud i Lundain yn fuan wedi i Vladimir Putin ddod i rym ar ddechrau'r ganrif newydd ... am amryw resymau. Erbyn hyn roedd y corryn wedi ymgartrefu yn ne Ffrainc. Serch hynny roedd ei we yn ymestyn ar draws y byd.

Deialodd Marmeladov rif ffôn cyfrin y corryn gan aros rhai eiliadau cyn i hwnnw ateb.

– Bòs, cyfarchodd Marmeladov.

– Semyon Smerdyakov Marmeladov. Newyddion da? gofynnodd Boris Petrovich.

– Na, atebodd Marmeladov yn ddiemosiwn.

– Be ddigwyddodd?

Esboniodd Marmeladov fod y cynllun i ladd Emyr Owen a Terry O'Shea wedi gweithio i'r dim yn y lle cyntaf. Llwyddodd y Slofaciaid roedd y ddau wedi'u cyflogi i ddenu Emyr a Terry i'r dafarn yng nghanol Bordeaux, a rhoi'r cyffuriau priodol yn eu diodydd i'w gwneud yn anymwybodol. Y bwriad wedi hynny oedd bod y Slofaciaid yn cludo'r ddau Gymro yn eu camperfan i leoliad yn y bryniau ger Bordeaux. Yno byddent yn cwrdd â Peshkov a Marmeladov, a fyddai'n gosod Emyr a Terry yn seddi blaen yr Ace Capri 500 cyn ei gwthio oddi ar y ffordd ac i lawr dibyn serth. Byddai'r heddlu'n cymryd yn ganiataol bod y ddau wedi marw trwy ddamwain.

Ond roedd y cytundeb hwn yn seiliedig ar daliad o 200,000 Ewro am y llofruddiaethau, oedd wedi'i guddio mewn tegan draig goch. Am na allai Peshkov a Marmeladov ddod o hyd i'r tegan, doedd dim dewis ganddyn nhw ond dychwelyd y ddau Gymro i'r maes parcio lle gadawsant yr Ace Capri ddeuddeg awr ynghynt.

– Ond ble mae'r arian, Marmeladov? gofynnodd Boris Petrovich yn ddiamynedd.

– Does gen i ddim syniad. Falle fod O'Shea wedi amau rhywbeth, ac wedi cuddio'r arian ym maes gwersylla Toujours Bordeaux. O ran gwybodaeth, y Slofaciaid oedd yn bennaf cyfrifol am wylio O'Shea ac Owen yn y maes gwersylla ...

– Y Slofaciaid! Mae pawb yn gwybod eu bod nhw'n hollol annibynadwy! melltithiodd Boris 'y corryn' Petrovich gan riddfan yn isel. – Dweda wrthyn nhw y bydd pris y dosbarthiad nesaf o sigaréts i Bratislava yn ddwbl y pris arferol oherwydd eu hesgeulustod. Na ... bydd pris y tri dosbarthiad nesaf yn cael ei dreblu.

– Beth y'ch chi am inni wneud nawr?

– Y cytundeb oedd lladd y ddau Gymro ar ôl inni gael gafael ar yr arian. Dilynwch nhw ... ac os ddowch chi i wybod bod yr arian yn eu meddiant, lladdwch nhw.

– Iawn, cytunodd Marmeladov cyn diffodd y ffôn.

– Be ddwedodd e? gofynnodd Peshkov yn eiddgar.

– Mae'n rhaid inni ddal ati i ddilyn y ddau Gymro.

– Ond sut allwn ni wneud hynny? Maen nhw wedi gadael y maes gwersylla. Sut allwn ni ddod o hyd iddyn nhw? Rwyt ti'n ffŵl, Marmeladov. Rwyt ti wedi gadael iddyn nhw fynd, meddai Peshkov yn ffyrnig.

Edrychodd Marmeladov yn ddilornus ar ei gyd-weithiwr.

– Ro'n i'n tybio y byddai'r bòs am inni barhau â'r cynllun. Dyna pam y gosodais i synhwyrydd o dan y camperfan fel ein bod ni'n gwybod yn union ble maen nhw, meddai, gan wasgu botwm ar ei ffôn symudol a'i roi i Peshkov. – Dyna pam mai fi sy'n gyrru'r SUV. Dyna pam mai fi sy'n ffonio'r bòs. Dyna pam mai ti sy'n dal y ffôn ... a dyna pam mai fi sy'n cysgu yn y bync gwaelod yng nghefn y cerbyd, ychwanegodd, gan wenu'n sur ar Peshkov.

Rhan II

Lens
Dydd Sul 12 Mehefin

20.

Bu tawelwch llethol rhwng Les a Delyth Welsh yn y Citroën Xsara Picasso wrth iddynt adael Bordeaux a dechrau ar y daith bum can milltir i ardal Lens yng ngogledd Ffrainc. Roedd Delyth yn berwi am fod Les wedi gadael i ddialedd plentynnaidd Al Edwards effeithio cymaint arno. Roedd pum niwrnod cyn i Gymru herio Lloegr yn ninas Lens, a gobeithiai Delyth y byddai Les wedi callio cyn hynny a rhoi'r gorau i'w elyniaeth bathetig.

Yn y cyfamser roedd Les yn pendroni ynghylch sut i ddweud wrth Delyth ei fod ef a'r pum aelod arall o Gymdeithas Adfer Cymru Hanesyddol (CACH) wedi trefnu i ymladd dros Ffrainc ym mrwydr Poitiers y Sadwrn canlynol. Roedd hefyd mewn cyfyng-gyngor ynghylch darbwyllo Delyth i ymuno ag ef yn y dathliadau.

Gwyddai fod trafodaethau dwys a chymhleth o'i flaen. Efallai y byddai'n rhaid iddo aberthu'r dial ar Al Edwards fel rhan o'r fargen, er mwyn perswadio Delyth i adael iddo arwain y CACHwyr yn y frwydr.

Penderfynodd Delyth chwalu'r tawelwch drwy ofyn i Les am yr amserlen newydd ar gyfer y dyddiau nesaf.

– Mi ddylien ni gyrraedd dinas Poitiers erbyn amser cinio. Allwn ni stopio i gael bwyd yn rhywle yn yr ardal honno, meddai Les, gan giledrych ar Delyth i weld ei hymateb. Amneidiodd Delyth ei bod yn derbyn ei awgrym.

– Ble wyt ti'n awgrymu ddylien ni fynd wedyn? gofynnodd iddo'n swta.

– Mae dinas Orléans tua hanner ffordd ar y siwrne i ardal

Lens ac Arras. Beth am aros mewn maes gwersylla ger Orléans dros nos, cyn ymweld â'r ddinas bore fory, yna teithio i ardal Arras nos fory?

– Syniad da, meddai Delyth yn sych.

Deirawr yn ddiweddarach roeddent wedi teithio heibio i drefi Saintes a Niort, gan golli'r cyfle i ymweld â chamlesi prydferth Marais Poitevin, y Fenis Werdd. Sylwodd Delyth fod Les wedi llywio'r car a'r garafán oddi ar y briffordd ryw bum milltir i'r de o Poitiers.

– Les! Be ti'n wneud? Nid dyma'r ffordd iawn, meddai'n ddryslyd, gan edrych ar y map oedd ar ei chôl. Suddodd ei chalon pan welodd arwydd roedd hi'n hen gyfarwydd ag ef dros y chwarter canrif diwethaf. Y ddau gleddyf. Yr arwydd rhyngwladol oedd yn dynodi maes brwydr hanesyddol.

– Ry'n ni'n mynd i weld maes brwydr Poitiers, on'd y'n ni, Les?

– Fyddwn ni 'run chwinciad, Delyth. Yn ôl yr hanesydd Jean Froissart bu Owain Lawgoch yn rhan o'r frwydr hon yn 1356 ... ac roedd Ieuan Wyn, y *Poursuivant d'Amour*, yno 'fyd. Cafodd byddin Ffrainc ei chwalu gan fyddin mab y brenin Edward III, y Tywysog Du ... neu fel mae'r Saeson yn ei alw, Tywysog Cymru, meddai Les yn llawn bwrlwm.

Ddeng munud yn ddiweddarach roedd Les wedi parcio'r car mewn cilfan, ac yn sefyll ger plac bychan o flaen caeau gwastad yn llawn gwartheg. Y plac oedd yr unig dystiolaeth mai hwn oedd lleoliad un o brif frwydrau'r Rhyfel Can Mlynedd rhwng Lloegr a Ffrainc.

Gwyddai Delyth o brofiad y byddai Les yn sefyll yn ei unfan yn syllu ar y cae o'i flaen am amser hir. Syllodd hithau ar y cae a gweld buwch yn cachu. Ceisiodd ddychmygu sut y gallai Les ymgolli mewn golygfa mor ddi-fflach.

– Rwy'n mynd am dro bach i ymestyn fy nghoesau. Fydda i 'nôl mewn ugain munud, meddai.

Ni chafodd unrhyw ymateb gan Les, oedd eisoes yn ail-fyw brwydr 1356.

– Hmmm, meddai Les, gan wenu wrth iddo sylwi fod y tair

buwch oedd o'i flaen yn union yr un lleoliad â saethyddion Ffrainc ar ddechrau'r frwydr. Cododd un o'r buchod ei chynffon a tharo rhech. Ond nid rhech buwch a glywodd Les, ond sŵn croesfwa cyntaf saethwyr Ffrainc yn ystod brwydr Poitiers.

Cerddodd Delyth ar hyd y ffordd dawel, droellog am ddeng munud cyn cyrraedd mynedfa Clwb Golff Poitiers. Roedd ar fin troi a cherdded yn ôl at y car pan welodd boster mawr ger arwydd y clwb golff. Ar y poster roedd llun o ddau filwr o'r canol oesoedd yn brwydro'n erbyn ei gilydd, ac oddi tano yr wybodaeth y byddai BRA ac ARSE yn cynnal ailgread o frwydr Poitiers ar 18 Mehefin.

– Wyt ti'n meddwl 'mod i'n hollol dwp, Leslie Welsh? gwaeddodd Delyth ar ei gŵr lai na phum munud yn ddiweddarach ar ôl brasgamu'n gyflym yn ôl at y car.

– Beth? gofynnodd Les, oedd yn dal i fod yng nghanol y frwydr ganoloesol.

– Hwn. Rwyt ti'n bwriadu cymryd rhan, on'd wyt ti? Man a man iti gyfaddef, atebodd Delyth, a dangos y llun roedd hi newydd ei dynnu o'r poster ar ei ffôn iddo.

– O! Roedd e i fod yn syrpréis, ebychodd Les gan grychu'i wyneb ar ôl edrych yn gyflym ar y llun.

– Rwyt ti wedi trefnu'r daith yma er mwyn i ti allu chwarae milwyr eto, on'd wyt ti? Celwydd noeth yw dy fod ti wedi trefnu'r gwyliau ar fy nghyfer i. 'Na i gyd oedd ar dy feddwl di oedd sut allet ti fy nhwyllo i i ddod gyda ti. O Les! Ro'n i'n meddwl dy fod ti wedi ymddiswyddo o'r BRA. Pam wnest ti fy nhwyllo i? taranodd Delyth yn llawn siom.

– Wnes i ddim ymddiswyddo. Ges i fy niarddel, cyfaddefodd Les yn dawel cyn esbonio'i gynllun i ddial ar John Gaunt a'r BRA drwy greu cymdeithas CACH a brwydro gyda'r Ffrancod yn erbyn y Saeson.

– Alli di ddim treulio gweddill dy fywyd yn ceisio dial ar bawb sydd wedi dy ypsetio di … rhesymodd Delyth cyn i Les dorri ar ei thraws.

– Rwy angen i ti sefyll ochr yn ochr â fi, Delyth. Mae'r

frwydr yma'n bwysig i fi a gweddill aelodau CACH. Maen nhw i gyd yn dod draw. Rwyt ti'n eu nabod nhw i gyd. Mi gawn ni amser gwych … a ni fydd yn ennill, am unwaith.

– Faint ohonoch chi sydd yn y gymdeithas 'ma?

– Wel … yr efeilliaid, Berian a Bedwyr Breeze …

– Ydyn nhw mas o'r carchar?

– Ydyn, ers mis … a Sid Llywelyn …

– Mae e dros ei bedwar ugain ac mewn cadair olwyn. Pwy sy'n dod ag e? Rheolwr y cartref hen bobl?

– Na. Ted a Gweneira Morgan.

– Y ddau lysh 'na?

– … a fi …

– Felly mae dy fyddin di'n cynnwys chwe CACHwr?

– Saith CACHwr … gan dy gynnwys di, Delyth.

Edrychodd Delyth yn daer ar Les am ennyd.

– Na.

Gwyddai Les ei bod hi'n bryd iddo chwarae ei garden orau.

– Rwy'n addo peidio â dial ar Al Edwards yn Lens os wnei di gytuno inni gymryd rhan yn y frwydr ddydd Sadwrn, Delyth … dyna fy nghynnig ola, ychwanegodd yn ddewr.

Siglodd Delyth ei phen.

– Blacmel emosiynol nawr, ife, Leslie Welsh? Yr ateb yw na … na … na. Rwy wedi penderfynu mai fi fydd yn gyfrifol am amserlen y gwyliau o hyn ymlaen, Les. Rwy'n ddigon bodlon ymweld â bedd dy dad-cu yn Arras … mi wn i bod hynny'n bwysig i ti … ond mi fyddwn ni'n mynd i aros gyda Manon yn Clermont-Ferrand yn syth ar ôl hynny, a dyna lle fydda i'n treulio fy mhen-blwydd yn hanner cant dydd Llun nesa. Deall?

– Deall, meddai Les yn dawel.

– Da iawn. Nawr 'te. Mae bwyty yn y clwb golff lawr y ffordd sy'n agored i bobl sydd ddim yn aelodau. Rwy ar lwgu. Ti fydd yn prynu'r bwyd, sy'n ddrud iawn gyda llaw, datganodd Delyth gan droi ar ei sodlau a chamu i mewn i'r car.

Cymerodd Les Welsh un olwg olaf, hiraethus, ar faes brwydr Poitiers cyn ymuno â Delyth yn y car. Wrth iddo bigo ar ei *moules marinière* yn ddiweddarach, gan wylio'r golffwyr yn teithio yn eu bygis ar hyd ffiniau maes brwydr Poitiers, meddyliodd Les y gallai Delyth fod wedi ymateb yn waeth o lawer i'w gynlluniau cudd. Gwyddai fod ganddo bum niwrnod i newid ei meddwl ynghylch cymryd rhan yn y frwydr.

21.

Roedd tawelwch llethol hefyd rhwng Terry O'Shea ac Emyr Owen yn yr Ace Capri 500 wrth iddynt hwythau adael Bordeaux a dechrau ar y daith bum can milltir i ogledd Ffrainc i geisio dod o hyd i Les a Delyth Welsh.

Credai Terry mai taliad am y cafiâr Beluga roedd Steffan Zelezki yn bwriadu'i brynu oddi wrth ei bartner busnes anhysbys yn Toulouse oedd y 200,000 Ewro oedd ynghudd yn y tegan draig goch. Tybiai fod Steffan Zelezki yn ddigon cyfrwys i ddweud wrth Emyr fod yr arian ar gyfer elusen i blant amddifad yn hytrach na chyfaddef wrth ei nai fod yr arian ar gyfer cynllun anghyfreithlon.

Roedd Terry wedi'i siomi'n arw fod Steffan wedi siarsio Emyr i beidio â sôn am yr arian yn y tegan. A oedd Steffan yn meddwl y byddai Terry'n dwyn yr arian petai'n gwybod am ei fodolaeth? A pham fod Steffan wedi rhoi'r 200,000 Ewro mewn arian parod i Emyr a hithau'n ddigon rhwydd iddo drosglwyddo'r arian yn gyfrin trwy gyfrifon banc a busnesau ffug?

Cwestiwn arall oedd yn poeni Terry, wrth iddo yrru heibio Poitiers ar hyd ffordd yr A10 i gyfeiriad gogledd Ffrainc, oedd pam fod y Slofaciaid wedi rhoi cyffur i Emyr ac yntau i'w gwneud yn anymwybodol. Oedden nhw'n gwybod am yr arian? Os *oedden* nhw'n gwybod am yr arian, tybed beth fyddai wedi digwydd i Emyr ac yntau petaen nhw wedi dod o hyd iddo?

Gwyddai Terry fod pobl yn fodlon lladd am lawer llai o arian na'r swm a oedd ym meddiant Delyth a Les Welsh ar hyn o bryd. Sylweddolodd y gallai'r cwpwl canol oed diniwed fod mewn perygl enbyd, ac mai ei fai ef oedd hynny. Beth bynnag oedd yr ateb i'r holl gwestiynau, y cam cyntaf oedd dod o hyd i Les a Delyth, a hynny cyn gynted â phosib.

Roedd Emyr hefyd mewn cyfyng-gyngor y bore hwnnw. Roedd yn teimlo'n anniddig am beidio â chadw llygad mwy craff ar y tegan. Ni allai feio Terry am ei roi i Delyth Welsh, ond a oedd e wedi gwneud hynny mewn gwirionedd? Dim ond tystiolaeth Terry oedd gan Emyr i brofi hynny. Gallai Terry fod wedi dwyn yr arian a dweud celwydd noeth i guddio'r peth. Roedd hi hefyd yn bosib fod Viktor Sestak a gweddill y Slofaciaid yn ffrindiau i Terry. Efallai fod pob un ohonyn nhw wedi bod yn Lleng Dramor Ffrainc, a bod y Slofaciaid wedi cydweithio â Terry i ddwyn y tegan. Ond sut fyddai Terry'n gwybod bod yr arian yn y tegan? Oedd Wncwl Steffan wedi dweud wrtho?

Roedd Emyr yn ddyn ifanc gonest oedd yn meddwl y gorau o bobl. Petai Terry'n gallu dod o hyd i'r tegan, mi fyddai hynny'n profi y gallai Emyr ymddiried ynddo. Serch hynny, penderfynodd Emyr gadw llygad craff ar y cyn-filwr o hynny allan.

– Dwi ddim yn deall sut fyddai unrhyw un yn gwybod bod yr arian yn y tegan, heblaw amdanat ti a dy ewythr, meddai Terry, gan feddwl yn uchel wrth iddyn nhw yrru i gyfeiriad Orléans.

Griddfanodd Emyr gan gofio ei sgwrs ffôn gyda Steffan yn y bwyty yn nhref Rochefort ddeuddydd ynghynt, pan drefnodd Terry ddêt gyda'r perchennog a'i ferch.

– Falle 'mod i wedi gadael y gath o'r cwd, cyfaddefodd Emyr gan esbonio sut, ac nad oedd y llinell ffôn wedi'i hamgryptio. Gallai rhywun oedd yn tapio'r ffôn fod wedi ei glywed yn sôn am yr arian yn y tegan.

– Falle bod y Slofaciaid yn gweithio i rywun arall? awgrymodd Emyr.

– Falle wir, atebodd Terry'n dawel, gan godi ei ffôn symudol oddi ar ddashfwrdd y camperfan a dechrau deialu. Cafodd sgwrs yn Ffrangeg gyda rhywun ar ben arall y lein am ychydig funudau cyn diffodd y ffôn a throi at y gŵr ifanc.

– Mi fyddwn ni'n teithio trwy Reims heno, Emyr.

– Ond dyw Reims ddim ar y ffordd i Arras. Pam wyt ti am fynd yno? gofynnodd Emyr.

– I gwrdd â hen gyfaill o'r Legion. Os oes rhywun am ddwyn yr arian, mi all hwn ein helpu i aros yn fyw yn ddigon hir i ddod o hyd i'r tegan a'i gynnwys cyn i rywun ladd Les a Delyth Welsh, atebodd Terry gan lywio'r Ace Capri 500 tuag at ddinas Reims.

Cyrhaeddodd y cerbyd y gwasanaethau 24 awr ar gyrion Reims tua saith o'r gloch y nos Sul honno. Eisteddodd Terry ac Emyr yn dawel yn y maes parcio am ddeng munud cyn i gar Renault barcio ger eu camperfan. Agorodd Terry ffenest drws y gyrrwr, estyn allan a chymryd sach gefn oddi wrth yrrwr y Renault. Ni thorrodd y ddau air nes i'r gyrrwr ddweud,

– *Bonne chance*, Sacha, a gyrru i ffwrdd. Rhoddodd Terry y sach gefn yn ofalus ar y sedd rhyngddo ef ac Emyr. Taniodd injan y cerbyd.

– Well inni chwilio am rywle i aros dros nos. Rhywle gyda digon o bobl eraill yno. Maes gwersylla, awgrymodd Terry gan ddechrau gyrru allan o'r maes parcio.

– Be sy'n y bag? gofynnodd Emyr.

– Paid ti â phoeni be sy'n y bag.

– ... a pham alwodd y dyn 'na ti'n Sacha?

– Oherwydd pan fydd dyn yn ymuno â'r Legion mae ganddo hawl i ddefnyddio ei enw iawn neu enw newydd ar gyfer ei basbort Ffrengig. Gallai rhywun ddiflannu a dechrau o'r newydd eto. Mi benderfynais i newid f'enw i Sacha Distel.

– Ond pam?

– Am mai ef oedd hoff ganwr Mam ... '*Raindrops keep falling on my head*'? gofynnodd Terry, gan weld nad oedd y cyfeiriad at ddiwylliant y saithdegau cynnar yn golygu dim i'r gŵr ifanc. – Na? Tamed bach cyn dy amser di, mae'n siŵr.

– A phwy oedd yn y car?

Nid atebodd Terry O'Shea, ond roedd Semyon Smerdyakov Marmeladov, oedd yn eistedd gydag Alexei Maximovich Peshkov yn eu cerbyd SUV yn yr un maes parcio, yn gwybod yr ateb.

– Mae'r car yn berchen i Alain Giresse. Cyn-aelod o gatrawd

parasiwt Lleng Dramor Ffrainc, meddai Marmeladov, oedd newydd dderbyn yr wybodaeth dros y ffôn gan aelod llwgr o Heddlu Ffrainc.

– Be wnawn ni nawr, Marmeladov? gofynnodd Peshkov, wrth iddyn nhw ddechrau dilyn y camperfan o bell.

– Mi dderbyniodd O'Shea y sach gefn heb drosglwyddo dim i'w comrade. Mae'n debygol fod O'Shea wedi trosglwyddo'r 200,000 Ewro i'w ffrind cyn cyrraedd Bordeaux felly ... yn y bwyty yn Rochefort, o bosib ... a bod Giresse nawr wedi trosglwyddo'r arian yn ôl i O'Shea. Mae'n rhaid inni gadw llygad barcud ar Owen ac O'Shea o hyn ymlaen a chwilio'r camperfan yn drylwyr pan fyddan nhw'n ei gadael, meddai Marmeladov.

Gwenodd Peshkov ac agor ei lygad i'r eithaf.

– A beth wnawn ni os down ni o hyd i'r arian? gofynnodd.

– Nid 'os', ond 'pan' ddown ni o hyd i'r arian, Alexei Maximovich Peshkov. Eu lladd nhw, wrth gwrs, cadarnhaodd Marmeladov.

Dydd Llun 13 Mehefin

22.

Roedd Les Welsh newydd yrru allan o'r maes gwersylla lle bu Delyth ac yntau'n aros y noson cynt ym mhentref Meung-sur-Loire ger dinas Orléans.

– Be wnawn ni heddiw? gofynnodd Delyth wrth iddynt basio'r caeau gwastad, ffrwythlon ar lannau afon Loire.

– Rwy'n credu y dylen ni ymweld â'r Cathédrale Sainte-Croix lle dathlodd Jeanne d'Arc ei buddugoliaeth dros y Saeson yn 1429. Dyna *pièce de résistance* dinas Orléans, fel fyddet ti'n dweud, Delyth, meddai Les gan droi i wenu'n siriol arni.

– Wyt ti wir? atebodd Delyth yn swrth.

– Ydw, cyn ymweld â'r Maison de Jeanne d'Arc, sef ailgread

o'r fan lle bu Jeanne d'Arc yn aros yn ystod gwarchae Orléans ... mi fydd yn ddiddorol iawn. Be ti'n feddwl, Delyth? Syniad da?

Ochneidiodd Delyth am ennyd cyn troi at ei gŵr.

– Na, Les. Dyw e ddim yn syniad da. Dyw e ddim yn syniad da o gwbl. Dyma'r amserlen ar gyfer heddiw. Ry'n ni'n mynd i archebu dau feic a seiclo ar hyd glannau afon Loire nes inni gyrraedd pentref bach, lle byddwn ni'n cael cinio ...

– Ond ...

– ... wedyn ry'n ni'n mynd i seiclo yn ôl i Orléans lle dwi'n mynd i yfed gwydraid, neu ddau, neu chwech hyd yn oed, o Sancerre; ac rwyt ti'n mynd i yfed potel neu ddwy, neu chwech hyd yn oed, o ddŵr Perrier am dy fod ti'n gyrru, datganodd Delyth.

– Ond ... ond ...

– Does dim 'ond' amdani, Leslie. Mi fydd yn rhaid iti fynd trwy broses o *cold turkey* os oes unrhyw obaith 'da ti o oroesi'r obsesiwn gwallgof 'ma gyda'r canol oesoedd. Tydw i ddim am glywed gair arall am Jeanne d'Arc nac Owain Lawgoch, y Tywysog Du nac unrhyw un arall oedd yn rhan o'r Rhyfel Can Mlynedd. *Fi* fydd yn gyfrifol am amserlen gweddill y gwyliau. Rwy'n deall bod ymweld â bedd dy dad-cu yn bwysig i ti, Les, felly mi awn ni yno fory cyn teithio i'r de i aros gyda Manon yn Clermont-Ferrand. Deall?

Dyna oedd gair olaf Delyth ar y mater.

– Deall, atebodd Les yn dawel.

Bu Les yn meddwl cryn dipyn am ei dad-cu wrth i Delyth ac yntau seiclo ar hyd glannau afon Loire y diwrnod hwnnw.

Roedd Les wedi ymddiddori mewn hanes milwrol byth ers iddo glywed, yn blentyn ar lin ei dad, am farwolaeth ddewr ei dad-cu. Nid oedd tad Leslie wedi gweld ei dad ei hun erioed gan fod hwnnw wedi ymuno â'r fyddin cyn geni ei fab.

Ni chafodd Les gyfle erioed i ymweld â bedd ei dad-cu gan ei fod wedi treulio pob gwyliau yn paratoi a chymryd rhan mewn brwydrau canoloesol dros y ddeng mlynedd ar hugain flaenorol. Ond gwyddai ers pan oedd yn blentyn fod ei dad-cu wedi'i gladdu ym mynwent pentref Villers-Pol, tua deugain milltir o Lens.

Gwyddai Les yn ogystal fod 57,000 o filwyr Prydain wedi'u hanafu ar ddiwrnod cyntaf brwydr y Somme ar y cyntaf o Orffennaf 1916. Gwyddai hefyd i bron 20,000 ohonynt gael eu lladd y diwrnod hwnnw, gan gynnwys ei dad-cu, ond crynai Les trwyddo bob tro y cofiai i dros filiwn o filwyr gael eu hanafu neu eu lladd erbyn diwedd y frwydr, bum mis yn ddiweddarach.

Bu'n rhaid iddo feddwl am ei fyddin ei hun awr yn ddiweddarach pan ganodd ei ffôn. Roedd ar fin eistedd i gael cinio gyda Delyth mewn caffi mewn pentref ar lannau afon Loire. Anfonodd decst grŵp at aelodau Cymdeithas Adfer Cymru Hanesyddol y noson cynt i roi gwybod iddyn nhw am ei rif ffôn newydd, a'u siarsio i beidio â'i ffonio oni bai bod yna argyfwng.

Roedd Delyth wedi mynd i'r toiled, felly penderfynodd Les ateb yr alwad gan un o'r CACHwyr, Sid Llywelyn.

– Sid. Ddwedais i wrthot ti am anfon neges decst ata i. Mae'r galwadau ffôn 'ma'n costio ffortiwn, meddai Les cyn cael sioc pan glywodd lais menyw.

– Lynwen Jenkins sy'n siarad, Mr Welsh. Rheolwr cartref Bodlondeb. Gofynnodd Mr Llywelyn imi eich ffonio i ddweud na fydd e'n ymuno â chi yn Ffrainc. Mae Mr Llywelyn wedi dal annwyd trwm ar ôl i'r heddlu ddod o hyd iddo'n eistedd yn ei Shopmobility ryw chwe milltir i lawr y ffordd o'r cartref yma. Roedd y batri wedi dod i ben a'r creadur wedi bod yn eistedd yn y glaw am ddwyawr, Mr Welsh ...

– Ond roedd e i fod i deithio gyda Ted a Gweneira Morgan, meddai Les, gan dybio bod y ddau alcoholic, mwy na thebyg, wedi mynd ar *bender*, gan anghofio'n llwyr am Sid.

– Wn i ddim am hynny ... ond mae'n amlwg bod Mr Llywelyn wedi drysu ac yn meddwl y gallai gyrraedd Ffrainc ar ei Shopmobility ...

– Go dda, Sid ... *real trooper*... meddai Les yn uchel, heb feddwl.

– Nid 'go dda Sid' o gwbl, Mr Welsh. Diolch byth mai dim

ond annwyd sydd ganddo, druan, meddai Lynwen Jenkins wrth i Les sylwi fod Delyth yn dychwelyd o'r toiledau.

– Dyna ni, Sid ... paid â phoeni amdana i ... rwy'n siŵr y bydd pawb yn mwynhau eu hunain hebdda i ... meddai'n uchel fel bod Delyth yn clywed.

– Am beth y'ch chi'n mwydro, Mr Welsh? Mae hyn yn ddifrifol iawn. Chi oedd yn gyfrifol am drefnu'r daith ... mi fydda i'n hysbysu'r awdurdodau priodol, ychwanegodd Lynwen Jenkins wrth i Delyth ailymuno â Les.

– Wrth gwrs ... ie ... mi gofia i ti at Delyth ... ie ... piti nad yw hi'n ddigon iach i deithio ar hyn o bryd ... ta ta, Sid, meddai Les, gan godi'i ysgwyddau ac edrych ar Delyth.

– Mr Welsh, mae hyn yn anfaddeuol!

– Ta ta, Sid ... ta ta, ailadroddodd Les gan ddod â'r sgwrs i ben a diffodd y ffôn yn gyfan gwbl rhag ofn i Lynwen Jenkins geisio ffonio'n ôl. – Sid Llywelyn, Delyth ... wedi cyrraedd Poitiers ar ei Shopmobility. Ro'n i wedi anfon tecst at bawb i ddeud nad o'n i'n gallu mynd i Poitiers dros y Sul. Ddwedes i bod ti'n dioddef o'r ffliw. Mae'n flin gen i, Delyth ... ond dyna'r unig esgus allen i feddwl amdano ar y pryd. Roedd e'n siomedig iawn. Yn ei ddagrau ... wyth deg tri mlwydd oed. Hon fydd ei daith dramor olaf. Y peth cynta wnaeth e oedd gofyn sut oeddet ti. Roedd e'n cofio atat ti.

Edrychodd Delyth yn syth i lygaid Les.

– Dyw e ddim yn Poitiers, nag yw e, Les?

Sylweddolodd Les fod Delyth yn ei adnabod yn rhy dda. Doedd dim dewis ganddo ond cyfaddef.

– Nag yw, Delyth. Methu teithio. Annwyd trwm, meddai, gan benderfynu peidio â datgan y rheswm am annwyd Sid Llywelyn.

Dim ond pedwar aelod arall o fyddin y CACHwyr oedd ar ôl.

23.

Roedd Terry'n dal i bendroni dros fwriad Delyth Welsh a'i gŵr i ymweld â bedd tad-cu Les a fu farw ym mrwydr y Somme.

– Mae dros bedwar cant o fynwentydd yn ardal y Somme. Sut yn y byd ddown ni o hyd i fedd tad-cu Les Welsh? gofynnodd Emyr, gan bori trwy'r wybodaeth ar ei ffôn.

– Dwi'n deall hynny. Ond dwi'n credu y dylen ni ganolbwyntio ar chwilio am filwyr gyda'r cyfenw Welsh i ddechrau, gan groesi'n bysedd mai tad ei dad a laddwyd. Mae gwefan y Comisiwn Mynwentydd Rhyfel yn dangos bod cerrig beddau ar gyfer pum deg tri milwr gyda'r cyfenw hwnnw a fu farw yn ystod brwydr y Somme rhwng Gorffennaf y cyntaf 1916 a mis Tachwedd y flwyddyn honno, pan ddaeth y brwydro i ben … ac mae tri chwarter y rheiny ym mynwent Thiepval. Dwi'n amcangyfrif mai dim ond deuddeg mynwent yn yr ardal fydd yn rhaid inni ymweld â nhw. Mi ddylien ni allu gwneud hynny mewn diwrnod.

– A beth wyt ti'n bwriadu 'i wneud yn y mynwentydd hyn?

– Gadael neges i Delyth Welsh yn gofyn iddi gysylltu â mi cyn gynted â phosib.

– … gan obeithio nad tad i fam Les Welsh fu farw gan mlynedd yn ôl … ac na fydd Delyth wedi ymweld â'r fynwent cyn inni adael neges … a chan obeithio hefyd y bydd hi'n penderfynu cysylltu â ni? gofynnodd Emyr gan godi'i aeliau.

– Annhebygol, dwi'n gwybod, ond dyna'n hunig obaith ni ar hyn o bryd. Allwn ni ddim cysylltu â'r heddlu a dweud 'plis allwch chi ddod o hyd i Delyth Welsh. Mae ganddi hi 200,000 Ewro mewn tegan draig goch …'

– Ti'n iawn … dim ond gobeithio'r gorau felly, meddai Emyr yn benisel.

– Yn hollol, cytunodd Terry heb lawer o arddeliad.

24.

Roedd Al Edwards a Rhian James wedi treulio'r dydd Sul yn teithio pedwar can milltir yn bwyllog yn eu camperfan VW. Arhosodd y ddau mewn maes gwersylla ar gyrion Paris y noson honno, gan baratoi am ddau ddiwrnod prysur yn y brifddinas cyn teithio i Lens ar y dydd Mercher.

Drannoeth roedd y ddau'n llawn cyffro wrth yrru i'r Musée d'Art Moderne. Roeddent wedi penderfynu gyrru i'r amgueddfa am ei bod wedi'i lleoli yn ardal yr 16eg Arrondissement, oedd yn llai prysur na chanol y ddinas. Y prif atyniad yn yr amgueddfa oedd arddangosfa o gartwnau Asterix y Gaul. Roedd René Goscinny ac Albert Uderzo, a greodd Asterix, yn arwyr i'r ddau ac wedi'u hysbrydoli i ymgymryd â'r grefft pan oeddent yn ifanc.

Roedd Al newydd weld lle i barcio'r fan nid nepell o'r amgueddfa, ac roedd ar fin llywio'r cerbyd i'r lle gwag pan daranodd Fiat bach heibio iddo a thynnu i mewn o'u blaenau. Gwyliodd Rhian mewn anghrediniaeth wrth i'r gyrrwr gamu allan o'r car, codi dau fys arnyn nhw a cherdded i ffwrdd yn gyflym.

– Meddylia am Oli'r Octopws, Al, meddai Rhian yn bwyllog, gan wybod y byddai'r digwyddiad yn cythruddo Al. – Wyt ti eisiau sigarét lysieuol? ychwanegodd, gan ymbalfalu yn ei bag.

– Na, dwi'n iawn. Dwi'n siŵr y down ni o hyd i le arall yn y man, meddai Al gan wenu ar Rhian. Edrychodd honno'n syn arno.

Sylweddolodd Al nad oedd yn teimlo'n ddig ac nad oedd am ddial ar y gyrrwr. Nid oedd wedi teimlo fel hyn ers cyn y digwyddiad erchyll hwnnw gyda chynhyrchydd cyfres deledu Oli'r Octopws flwyddyn ynghynt. Tybed oedd dial ar Les Welsh trwy dynnu llun y cartŵn ar ei garafán wedi cael gwared â'i baranoia a'i gasineb, ystyriodd.

Dydd Mawrth 14 Mehefin

25.

Cyrhaeddodd Terry ac Emyr fynwent goffa Thiepval toc wedi iddi agor am ddeg o'r gloch y bore canlynol. Gyrrodd Terry'n araf dros y twmpathau cyflymder a arweiniai at y fynwent, cyn llywio'r Ace Capri 500 i'r maes parcio, oedd eisoes yn hanner llawn o gerbydau ymwelwyr.

Camodd y ddau allan o'r camperfan a syllu ar dŵr anferth a gynlluniwyd gan y pensaer enwog Edwin Lutyens yn dilyn y Rhyfel Mawr. Cofeb y Colledigion. Roedd enwau 73,367 o filwyr a fu farw yn ystod brwydr y Somme, ond na ddarganfuwyd eu cyrff, wedi'u rhestru ar y gofeb. Safodd Terry am ennyd yn meddwl am y milwyr roedd e'n eu hadnabod a fu farw yn ystod ei gyfnod yn Lleng Dramor Ffrainc.

– Dere 'mla'n. Well inni chwilio am y brif swyddfa er mwyn gadael neges i Delyth Welsh. Mae ganddon ni ddiwrnod prysur o'n blaenau, meddai Terry o'r diwedd.

Amneidiodd Emyr a'i ddilyn i gyfeiriad y swyddfa.

Ni sylwodd yr un o'r ddau ar y camperfan SUV du oedd wedi'u dilyn i'r fynwent goffa a pharcio tua chanllath y tu ôl iddyn nhw.

– Dyma'n cyfle ni, meddai Marmeladov gan godi ysbienddrych a gweld Terry ac Emyr yn cerdded tuag at brif adeilad y fynwent goffa. – Off â ti. Bant â'r cart, meddai.

– Pam fi? gofynnodd Peshkov yn swrth.

– Am mai fi sy'n gwneud y penderfyniadau strategol a ti sy'n eu gweithredu ... *line management*, Alexei Maximovich Peshkov ... *line management*.

– O'r gorau, cytunodd Peshkov gydag ochenaid, cyn dechrau camu'n llechwraidd tuag at y camperfan. Arhosodd am ennyd i esgus clymu ei gareiau pan welodd gwpwl yn dod allan o gar cyfagos a cherdded tuag at y prif adeilad. Yna symudodd yn chwim, gan lwyddo i ddatgloi drws ochr y camperfan mewn eiliadau. Aeth i mewn i'r fan, cau'r drws ar ei ôl a dechrau chwilio am y tegan draig goch.

Yn y cyfamser roedd Marmeladov wedi gadael y cerbyd SUV ac yn ymlwybro'n araf tuag at y prif adeilad er mwyn ceisio gweld a oedd Terry ac Emyr wedi trefnu i gwrdd â rhywun yn y fynwent goffa. Ond cafodd sioc ychydig funudau'n ddiweddarach pan welodd Terry ac Emyr yn dychwelyd i'r fan o gyfeiriad yr adeilad, oedd tua ugain llath o'i flaen. Cerddodd

Marmeladov heibio i'r ddau Gymro heb edrych arnynt, yna tynnodd ei ffôn symudol o'i boced a deialu rhif ffôn Peshkov unwaith roedd y ddau wedi cerdded heibio iddo.

– Dere 'mla'n ... dere 'mla'n ... ateb y ffôn, sgyrnygodd, gan weld bod Terry ac Emyr bron â chyrraedd y maes parcio.

– Beth? gofynnodd Peshkov yn flin pan atebodd o'r diwedd.

– Mas o 'na, nawr! Maen nhw ar y ffordd 'nôl, sibrydodd Marmeladov, rhag ofn i Terry ac Emyr ei glywed yn nhawelwch llethol y fynwent goffa.

– Beth ddwedest ti?

– Mas o 'na nawr! Maen nhw ar eu ffordd 'nôl, ailadroddodd Marmeladov ychydig yn uwch, gan weld bod y ddau o fewn deugain llath i'r camperfan erbyn hyn.

Edrychodd Peshkov allan o ffenest ochr y camperfan gan ddiolch i'r nefoedd nad oedd y drws yn wynebu'r ddau Gymro. Bu'n ddigon proffesiynol wrth chwilio'r fan i ofalu ei fod yn rhoi popeth yn ôl yn ei le. Aeth allan trwy'r drws a'i dynnu'n ôl i'w le'n dawel wedi iddo gamu allan. Clywodd glic y drws yn cau cyn sylweddoli bod Terry O'Shea ac Emyr Owen wedi cyrraedd y camperfan ac y byddai'n dod wyneb yn wyneb ag un ohonyn nhw ymhen eiliad.

Neidiodd y cyn-gymnast o dan y fan, gan afael yn yr echel â'i ddwy law a gosod ei draed ar ben yr ecsôst. Dechreuodd ystyried sut y gallai ddianc heb i Terry ac Emyr ei weld. Byddent yn siŵr o'i weld y tu ôl i'r fan yn y gwydrau ochr petai'n gadael nawr. Ond roeddent yn llai tebygol o lawer o'i weld wrth iddyn nhw droi i'r chwith neu'r dde i adael y fynwent goffa. Felly penderfynodd aros o dan y camperfan nes iddyn nhw adael y fynwent.

Ond roedd Peshkov wedi anghofio am y twmpathau cyflymder. O ganlyniad, bu'n rhaid iddo ddioddef poen dirdynnol yn ei ben, ei gefn a'i ben-ôl wrth i'w gorff daro yn erbyn y twmpathau hynny naw gwaith, wrth i Terry yrru'r Ace Capri 500 drostynt.

– Wmmff.

– Beth yw'r sŵn 'na, Emyr? gofynnodd Terry ar ôl i'r fan fynd dros y twmpath cyntaf.

– Dwi ddim yn siŵr. Yr ecsôst?

– Falle. Ambell waith mae'n haws osgoi niwed i'r ecsôst wrth fynd drostyn nhw'n arafach.

– Awww.

– Na. Wnaeth hynny ddim gweithio ... cyflymach amdani, penderfynodd Terry, gan roi ei droed ar y sbardun.

– Fffffycsci

Ac felly y bu am y funud nesaf nes i'r Ace Capri 500 ddod i stop ger croesffordd cyn i Terry lywio'r fan i'r dde. Bryd hynny y llwyddodd Peshkov i ddianc o'r diwedd.

Roedd Marmeladov wedi dilyn y fan o bell a gwelodd Peshkov yn gorwedd ar y ffordd ar ôl i Terry droi i'r dde. Neidiodd allan o'r SUV a thynnu Peshkov i mewn i sedd y teithiwr.

– Blydi hel, Peshkov. Mae dy ben di'n edrych fel un yr Elephant Man, meddai.

– Hmmmff ... naw ... thpid bumph.

– ... ac rwyt ti'n swnio fel e, ychwanegodd Marmeladov gan ystyried y dylai fynd â Peshkov i'r ysbyty agosaf cyn gynted â phosib.

– Thdim arian yno ... fytha i'n iawn ... dim ythbyty, mwmialodd Peshkov.

– O'r gorau. Da iawn ... ond ble maen nhw wedi cuddio'r arian? gofynnodd Marmeladov.

– Thai'n thycin gwybod.

26.

Roedd Les a Delyth wedi gadael y garafán yn y maes gwersylla lle buont yn aros y noson cynt ac wedi teithio yn y Citroën Xsara Picasso i'r fynwent Rhyfel Byd Cyntaf ym mhentref Villers-Pol.

Cafodd Les sioc pan welodd pa mor fach oedd y fynwent wrth iddo barcio'r car gerllaw y prynhawn dydd Mawrth hwnnw. Gwyddai fod ei dad-cu yn un o saith mil ar hugain o ddynion a fu farw ar ddiwrnod cyntaf brwydr y Somme, ac roedd wedi disgwyl ymweld â mynwent lawer mwy o faint, yn debyg i fynwent goffa Thiepval.

Gadawodd Les a Delyth y car a gweld, wrth nesáu at y fynwent, nad oedd neb yno heblaw am ofalwr oedd wrthi'n torri'r gwair. Aethant ato a holodd Delyth ef yn Ffrangeg am fedd Leslie Welsh. Cododd hwnnw'i ysgwyddau a dweud mai dim ond 116 o feddi milwyr o Brydain oedd yn y fynwent, ynghyd â deg a thrigain o Almaenwyr. Ychwanegodd na fyddai'n cymryd fawr o amser iddyn nhw ddod o hyd i'r bedd roeddent yn chwilio amdano.

Treuliodd Les a Delyth yr hanner awr nesaf yn ymlwybro'n araf rhwng y beddi gan feddwl am fywydau byr y dynion ifanc oedd yn gorwedd yno. Yna, ym mhlot D20, gwelodd y ddau enw Leslie Welsh. Gafaelodd Delyth yn llaw Les a gweld bod dagrau'n llifo i lawr ei fochau.

– Dim ond dau ddeg tri oedd e. Mor ifanc, meddai Les yn gryg.

– Roedden nhw i gyd yn ifanc, atebodd Delyth.

Yn sydyn tynnodd Les ei law yn rhydd a chlosio at y bedd.

– Beth sy'n bod, Les?

– Y dyddiad. Mae'r dyddiad yn anghywir. Mae'n dweud fan hyn ei fod wedi marw ar 30 Mehefin 1916 ... ond ddechreuodd brwydr y Somme ddim tan y diwrnod wedyn. Mae rhywun wedi rhoi'r dyddiad anghywir ar ei fedd, taranodd Les.

– Falle ei fod e mor awyddus nes iddo benderfynu ymosod ar yr Almaenwyr ar ei ben ei hun ddiwrnod yn gynt, awgrymodd Delyth.

– Paid â bod yn dwp, Delyth. Mae'n rhaid inni geisio cywiro hyn cyn gynted â phosib. Dere 'mla'n, meddai Les, gan ddechrau brasgamu yn ôl at y gofalwr.

Gofynnodd Delyth i'r gofalwr pwy oedd yn gyfrifol am y fynwent, a hanes y milwyr oedd wedi'u claddu yno, gan esbonio fod y dyddiad ar garreg fedd tad-cu Les i'w weld yn anghywir.

– A! Ry'ch chi angen Monsieur Paul Sorel. Mae e'n hanesydd lleol sy'n gwybod popeth am y rhai sydd wedi'u claddu yma, meddai'r gofalwr.

– Sut allwn ni gysylltu ag e?

– Mi fydd e yma fory. Mae'n cynnal teithiau tywys o amgylch y fynwent yn wythnosol bob dydd Llun, dydd Mercher a dydd Gwener yn ystod yr haf. Mi fydd e'n gorffen ei daith tua hanner dydd fory. Gall e esbonio popeth i chi bryd hynny ... dim ond ichi brynu cinio mawr iddo ... a gwin da. Dyn *très gentil* ... meddai'r gofalwr.

Diolchodd Delyth iddo, gan gyfieithu ei sylwadau i Les ac awgrymu y dylen nhw ddychwelyd drannoeth i weld yr hanesydd. Serch hynny, roedd Les yn dal i deimlo'n ddig am y camgymeriad wrth iddo gerdded yn ôl i'r car. Canodd ei ffôn.

– Helô, Les, meddai Ted Morgan, aelod selog o Gymdeithas Adfer Cymru Hanesyddol. CACHwr heb ei ail yn ôl Les, ac yn wir, yn ôl Delyth hefyd.

– Helô, Ted, meddai Les gan weld Delyth yn rolio'i llygaid.

– Ddwedes i wrthot ti am anfon tecst os oeddet ti am gysylltu â mi. Mae'r alwad 'ma'n costio ffortiwn i'r ddau ohonon ni.

– Dwi ddim yn deall yr hen dechnoleg newydd 'ma, Les, cyfaddefodd Ted. – Ta beth ... newyddion drwg. Yn anffodus fydda i a Gweneira ddim yn gallu dod i Poitiers. Gweneira'n sâl ... ffliw'r haf, meddai Ted. Clywai Les sŵn tafarn brysur a chwerthiniad croch Gweneira yn y cefndir, a sylweddolodd fod Ted a Gweneira wedi penderfynu mynd ar bender arall yn hytrach nag ymuno â gweddill aelodau CACH yn Ffrainc.

– A beth ddigwyddodd i Sid Llywelyn? Roeddech chi i fod i'w gasglu o'r cartref hen bobl ddoe, holodd Les.

– Pwy? Yr hen Sid. Wrth gwrs. Damio. *Bad show*. Ie. Beth alla i ddweud, Les?

Diffoddodd Les ei ffôn heb ddweud gair arall. Trodd i weld Delyth yn gwenu arno.

– Lwcus dy fod ti wedi penderfynu peidio â mynd i ail-greu brwydr Poitiers, Les. Dim ond ti fyddai yno ...

– Fi a'r brodyr Breeze, Delyth ... fi a'r brodyr Breeze, meddai Les, oedd yn ffyddiog y byddai dau aelod mwyaf brwd CACH yn gwneud eu gorau glas i ymuno ag ef yn Poitiers.

27

Roedd Al Edwards ar ben ei ddigon wrth iddo eistedd yn hollol lonydd mewn dingi plastig yng nghanol gerddi'r Jardin des Tuileries ger y Place de la Concorde, lle cafodd dros fil o bobl eu dienyddio gan Madame la Guillotine yn ystod y Chwyldro Ffrengig.

Nid oedd Al wedi symud modfedd yn ystod yr hanner awr y bu'n eistedd yn y dingi, gyda'i groen wedi'i baentio'n lliw arian, yn ail-greu llun enwog Jacques-Louis David o lofruddiaeth y chwyldroadwr Jean-Paul Marat gan Charlotte Corday, sef 'Marwolaeth Marat'.

Roedd Rhian hefyd wedi'i phaentio'n lliw arian a bu'n sefyll yn hollol lonydd am hanner awr, yn dal baner uwch ei phen i ail-greu llun enwog Eugène Delacroix o Liberté yn arwain y bobl.

Roedd y bobl oedd wrthi'n mwynhau tawelwch y gerddi yng nghanol Paris wedi dangos eu gwerthfawrogiad o gerfluniau byw Al a Rhian, oedd ymysg y cerfluniau parhaol eraill o arwyr Ffrainc gan Coustou a Coysevox. Gwyddai Al fod Ffrancwyr yn gwerthfawrogi celf o bob math, ac roedd dros 100 Ewro, sef y cyfraniadau a dderbyniodd y ddau gan y cyhoedd y prynhawn dydd Mawrth hwnnw, yn saff yn y dingi.

Chwalwyd mwynhad Al a Rhian pan welsant ddau ddyn, un tal ac un byr, tew, yn brasgamu'n gyflym tuag atynt. Roedd y ddau mewn gwisgoedd lliw arian ac roeddent hwythau, yn amlwg, hefyd wrthi'n perfformio fel cerfluniau byw.

– Beth y'ch chi'n wneud fan hyn? Ein patsh ni yw hwn! gwaeddodd y dyn tal yn Ffrangeg, gan sefyll uwchben Marat, oedd yn dal i eistedd yn gelain yn y bath.

– *Imbécile!* ychwanegodd y dyn byr, tew, gan siglo'i ben mewn anghrediniaeth.

Roedd Al a Rhian yn deall digon o Ffrangeg i sylweddoli bod y ddau am iddyn nhw symud oddi yno.

– Ie, symudwch, yr *imbéciles*, cytunodd y dyn tal.

– Ni oedd yma gyntaf. Pam ddylen ni symud? Pwy y'ch chi

i ddweud wrthon ni am symud? meddai Liberté, gan ddal y faner o'i blaen yn heriol.

– Fi yw Robespierre, tad y chwyldro, meddai'r dyn tal.

– A myfi yw Danton, injan y chwyldro, meddai'r dyn bach, tew, cyn i'r ddau sefyll fel cerfluniau am ennyd i arddangos eu dawn yn y maes.

– Ond myfi yw'r chwyldro, mynnodd Rhian wrth i'r tad a'r injan ruthro heibio heb yngan gair.

Cododd Marat yn gyflym o'r bath gan sefyll o flaen y ddau chwyldroadwr arall. Ofnai Rhian y byddai'r tri chwyldroadwr yn dechrau brwydro yn erbyn ei gilydd fel ddigwyddodd yn ystod Oes yr Arswyd yn 1793.

– Al … meddylia am Oli'r Octopws, meddai Rhian yn nerfus. Ond cafodd siom ar yr ochr orau pan foesymgrymodd Al a dweud, mewn Ffrangeg bratiog,

– Wrth gwrs. Mae'n flin gen i. Ein camgymeriad ni.

Cododd yr arian yn gyflym, plygu'r dingi a'i roi dan ei gesail a throi at Rhian.

– Mae'n well inni fynd, Rhian. Amser coffi, dwi'n credu, meddai'n dyner, gan afael yn llaw chwith Rhian a'i thywys i ochr arall y parc.

Ni fu Rhian erioed mor falch o'i chymar ag yr oedd y foment honno. Gwenodd Al, gan wybod bod y casineb fu'n ei gorddi cyhyd wedi llwyr ddiflannu erbyn hyn. Oedd, roedd yr hen Al Edwards yn ei ôl.

Dydd Mercher 15 Mehefin

28.

Eisteddai Les a Delyth Welsh yng nghwmni Paul Sorel y tu allan i gaffi yng nghanol pentref Villers-Pol, y diwrnod cyn i Gymru herio Lloegr yn Lens. Roeddent wedi cyflwyno'u hunain i'r hanesydd lleol ar ôl iddo gwblhau ei daith dywys awr ynghynt. Esboniodd Delyth benbleth Les ynghylch dyddiad marwolaeth ei dad-cu i Monsieur Sorel, oedd yn ddyn gosgeiddig yn ei saithdegau cynnar, gyda ffrwd o wallt gwyn a mwstásh ysblennydd.

– Fi oedd prifathro ysgol gynradd y pentref nes imi ymddeol ddeng mlynedd yn ôl, esboniodd Monsieur Sorel, wedi iddo dderbyn cynnig Delyth i ymuno â Les a hithau i drafod y mater dros ginio.

– Dwi wastad wedi ymddiddori mewn hanes, a dechreuais gynnig teithiau tywys o amgylch y fynwent er mwyn ennill ychydig o incwm ar ôl ymddeol, ychwanegodd Monsieur Sorel cyn dechrau ar ei *poussin au champagne*. – Pa un o'r beddi oeddech chi'n holi amdano eto?

Esboniodd Delyth eto y dryswch ynghylch dyddiad marwolaeth tad-cu Les.

– A! Preifat Leslie Welsh, meddai Monsieur Sorel cyn symud yn anghyffyrddus yn ei gadair a llowcio hanner ei wydraid o Châteauneuf du Pape '99 oedd wedi costio 70 Ewro am botel. Sychodd ei fwstásh.

– Hmmm. Rwy'n ofni mai ar ddiwrnod olaf Mehefin y bu Preifat Welsh farw ac nid yn ystod diwrnod cyntaf brwydr y Somme ddiwrnod yn ddiweddarach, meddai, cyn gorffen y gwin.

– Wir? Sut y'ch chi'n gwybod hynny? gofynnodd Delyth yn eiddgar.

– Gwin anhygoel. Nid pob dydd mae dyn yn cael yfed gwin o'r fath ... ond wedi dweud hynny, nid pob dydd mae rhywun yn dod i wybod hanes ei gyndeidiau, meddai Monsieur Sorel gan wenu ar Les ac osgoi llygaid Delyth. Gwyddai honno y byddai'n rhaid iddi dalu am yr wybodaeth.

– Sut y'ch chi'n gwybod? gofynnodd Delyth yn Ffrangeg wedi iddi archebu potelaid arall o'r '99.

– Dwi wedi gwneud ymchwil trylwyr i yrfaoedd milwrol y rhai sydd wedi'u claddu ym mynwent Villers-Pol ... fel bod eu haberth yn cael ei gofio, meddai Monsieur Sorel yn rhagrithiol, gan ochneidio cyn pwyso'n ôl yn ei sedd wrth i'r ail botel o win gyrraedd.

Arllwysodd lond gwydr cyn dweud, – Bu farw Preifat Welsh yn yr ysbyty ... ond nid o unrhyw anafiadau yn sgil y brwydro ...

Gwyddai Delyth erbyn hyn fod yr hanesydd lleol yn gwneud y mwyaf o'r sefyllfa ac mai newyddion drwg oedd i ddod.

– Mae'n flin gen i ddweud bod Preifat Leslie Welsh wedi marw oherwydd cymhlethdodau oedd yn gysylltiedig â haint, meddai Monsieur Sorel gan besychu cyn tywallt gwydraid arall iddo'i hun.

– Pa haint? gofynnodd Delyth yn gyflym.

– I ni, bobl Ffrainc, mae haint o'r fath fel annwyd i chi sy'n byw yn ynysoedd Prydain. Guy de Maupassant ... Anatole France ... Marcel Proust ... roedd e bron yn *de rigeur* i ddioddef o haint o'r fath yn oes *Fin de siècle* ... heb sôn am adeg y rhyfel, meddai Monsieur Sorel cyn tywallt y gwydraid olaf o win iddo'i hun. – Yng ngeiriau'r Sais, *The French disease ... Veneral disease* ... yn fwy penodol: siffilis.

Aeth yn ei flaen i esbonio bod un o bob ugain o filwyr Prydain a fu'n brwydro yn Ffrainc yn ystod y Rhyfel Mawr wedi dioddef o'r haint.

– Cafodd dros 400,000 o filwyr eu cludo i'r ysbyty i gael triniaeth ar ei gyfer ar ôl cysgu gyda phuteiniaid yn ystod y rhyfel, eglurodd. – Mae'n debyg bod tad-cu Monsieur Welsh yn un ohonyn nhw, a dyna sut y bu farw. Mi fyddai mam-gu Monsieur Welsh wedi cael gwybod hynny. Mae'n siŵr iddi benderfynu dweud wrth dad Monsieur Welsh bod ei gŵr wedi marw yn ystod brwydr y Somme er mwyn cadw'i enw da. Mae'n flin gen i, Madame Welsh. Hic! ychwanegodd Monsieur Sorel, oedd wedi'i dalu'n hael am yr wybodaeth anffodus.

Amneidiodd Delyth ei bod yn deall, cyn troi at Les oedd yn edrych arni'n llawn chwilfrydedd.

– Wel, beth ddwedodd e?

– Ddweda i wrthot ti'n nes 'mlaen, Les, meddai Delyth. Ni

wyddai sut i egluro i Les bod y dyn a sbardunodd ei ddiddordeb mewn hanes milwrol wedi marw ar ôl bod wrthi'n puteinio yn hytrach na marw fel arwr ar faes y gad.

– Na. Rwy am wybod nawr, Delyth, mynnodd Les, gan edrych yn wyllt ar Delyth a Monsieur Sorel bob yn ail.

– Dwi'n credu y dylen i adael i chi esbonio i Monsieur Welsh, meddai Monsieur Sorel gan godi ar ei draed, siglo dwylo gyda'r ddau a cherdded yn igam-ogam yn ôl i'w gartref.

– Dwyt ti ddim yn mynd i hoffi hyn, Les, mentrodd Delyth cyn mynd ati i esbonio.

29.

Roedd hi'n brynhawn Mercher erbyn i Terry O'Shea ac Emyr Owen lwyddo i adael neges ym mhob un o'r dwsin o fynwentydd oedd yn cynnwys cerrig beddi milwyr gyda'r cyfenw Welsh. Er gwaethaf eu hymdrechion, nid oedd Terry wedi derbyn galwad ffôn oddi wrth Delyth, a dychwelodd Emyr ac yntau i'r maes gwersylla ger Arras lle buont yn aros ers iddyn nhw gyrraedd gogledd Ffrainc ddydd Llun.

– Beth wnawn ni nawr? gofynnodd Emyr wrth iddo baratoi swper o basta a thiwna ar ffwrn y camperfan.

– Aros i Delyth Welsh ein ffonio, gan obeithio y bydd hi'n cael y neges ac yn penderfynu cysylltu â mi. Ond dwi ddim yn gwybod pryd roedden nhw'n bwriadu ymweld â'r bedd. Mi all hynny fod unrhyw bryd yn ystod yr wythnos nesa, atebodd Terry.

– Ond dwi i fod i roi'r arian i gyswllt Wncwl Steffan yn Toulouse ddydd Llun, meddai Emyr yn bryderus.

– Rwyt ti wedi etifeddu tair miliwn o bunnoedd. Mi allet ti drefnu i ddefnyddio 200,000 Ewro o dy arian dy hun, awgrymodd Terry.

– Yn anffodus, yn ôl cyfreithwyr Anti Ann, fydd yr arian ddim yn cael ei drosglwyddo i mi am rai wythnosau.

– Os felly, mae'n rhaid inni obeithio y bydd Delyth Welsh yn cysylltu â mi dros y tridiau nesaf.

– A beth y'n ni'n mynd i'w wneud yn y cyfamser?

– Mae ganddon ni docyn yr un ar gyfer gêm Cymru yn erbyn Lloegr fory. A dim ond hanner can milltir y'n ni o Lens. Mi fyddai'n well inni aros yn yr ardal hon tan y funud ola, rhag ofn i Delyth Welsh gysylltu, awgrymodd Terry.

– Pam lai? cytunodd Emyr.

Ond ni fyddai Delyth Welsh yn derbyn neges Terry, gan mai chwilio am filwyr gyda'r cyfenw Welsh a fu farw ym mrwydr y Somme, a ddechreuodd ar y cyntaf o Orffennaf 1916, yn unig a wnaeth hwnnw. Ni wyddai Terry am y milwr o'r enw Leslie Welsh a fu farw ar ddiwrnod olaf Mehefin 1916, ac a orweddai mewn bedd ym mynwent Villers-Pol.

30.

Cyrhaeddodd Al Edwards a Rhian James y maes gwersylla ar gyrion dinas Lens yn hwyr ar y nos Fercher ar ôl teithio o Baris yn y camperfan VW. Penderfynodd y ddau goginio un o'u hoff brydau bwyd, sef *kebabs* llysieuol. Dros botelaid o win, buont yn trafod y ffaith bod nerfau Al wedi gwella dros y dyddiau cynt.

– Dwi'n prowd iawn o'r ffordd wnest ti ddelio â Monsieur Robespierre a Monsieur Danton ddoe. Rwyt ti fel dyn gwahanol ers iti fygwth Les Welsh yn Bordeaux. Mae'n rhaid imi gyfaddef, mi fydden i, mwy na thebyg, wedi mynd yn ôl i Gymru petaet ti wedi dial arno ddydd Sadwrn, meddai Rhian gan orwedd yng nghôl Al ar ôl iddyn nhw orffen eu *kebabs*.

– Ond wnes i ddim dial arno ... naddo fe? meddai Al, gan deimlo ias oer yn rhedeg i lawr ei gefn wrth iddo feddwl am y cartŵn ar ochr carafán Les a Delyth Welsh.

– Naddo, diolch byth.

– Dwi'n credu mai dyna'r eiliad y sylweddolais i nad ydy talu'r pwyth yn ôl yn gwneud lles i ddyn, meddai Al yn rhagrithiol gan groesi bysedd ei draed hyd yn oed. – A dwi wedi cael syniad ar gyfer stori newydd i Oli'r Octopws ... dwi'n credu bod fy nghreadigrwydd i'n dod 'nôl, Rhian, ychwanegodd.

Cododd Rhian ei phen ac edrych i fyw ei lygaid.

– Mi fyddwn ni'n iawn, on' byddwn ni, Al?

– Byddwn, cariad, byddwn, atebodd Al. Os na wnawn ni gwrdd â Les Welsh byth eto, meddyliodd.

Dydd Iau 16 Mehefin

31.

Bu Les Welsh yn dawel iawn am weddill y diwrnod ar ôl iddo ddarganfod nad oedd gyrfa filwrol ei dad-cu mor arwrol ag yr oedd wedi tybio.

Gwyddai Delyth fod Les wedi'i frifo'n arw gan yr wybodaeth. Cytunodd felly i gais Les i ymweld â bedd ei dad-cu unwaith eto cyn i'r ddau ddechrau ar eu taith hir i gartref ffrind Delyth, Manon Belmondo, yn ardal y Massif Central ger dinas Clermont-Ferrand y diwrnod canlynol.

Penderfynodd y ddau adael y garafán yn y maes gwersylla tra oedden nhw'n ymweld â mynwent Villers-Pol. Roedd Les newydd danio injan y car am ddeg o'r gloch y bore wedyn pan glywodd ei ffôn yn canu. Nid oedd yn adnabod y rhif ffôn ond gwyddai fod yr alwad yn dod o Brydain.

– Helô, bòs. Berian sy 'ma, meddai un o'r efeilliaid Breeze, oedd yn aelodau brwd o Gymdeithas Adfer Cymru Hanesyddol.

– Helô, Berian, meddai Les gan weld Delyth yn rolio'i llygaid eto. – Ddwedes i wrthot ti am anfon tecst os oeddet ti am gysylltu â mi. Mae'r alwad 'ma'n costio ffortiwn i'r ddau ohonon ni.

– Methu anfon tecst yn anffodus, bòs ... mae'r heddlu wedi mynd â'n ffonau symudol ni.

– Yr heddlu!

– Ie, bòs. Yn anffodus, allwn ni ddim dod i Ffrainc. Fe lwyddon ni i ddod o hyd i ffordd o deithio yno, ond yn anffodus mi welodd rhywun ni'n dwyn y fan ac mi gawson ni'n harestio yn Southampton.

Griddfanodd Les cyn i Berian ymhelaethu.

– Mi ddefnyddiodd Bedwyr ei alwad ffôn e i ffonio'n cyfreithiwr ni ond ddwedais i wrth yr heddlu bod yn rhaid i mi ffonio'r bòs am ei fod yn disgwyl inni ladd Saeson yn Ffrainc dros y penwythnos.

Griddfanodd Les unwaith eto.

Er i'r efeilliaid fyw bywydau amheus, roedd y ddau bob amser wedi dangos parch tuag at Les, yn enwedig ers iddo sefydlu CACH naw mis ynghynt, gan ei alw'n 'bòs'.

– Falle na ddylet ti fy ngalw i'n 'bòs' ar hyn o bryd, awgrymodd Les, gan ofni y byddai'r heddlu'n camddeall y sefyllfa.

– Na, bòs. Dwi wastad yn deud wrth Bedwyr mai Les Welsh yw'r bòs ac mi ddwedais i'r un peth wrth yr heddlu gynne.

Griddfanodd Les am y trydydd tro cyn i Berian ychwanegu, – Am ryw reswm maen nhw'n awyddus i siarad â chi pan ddowch chi 'nôl o Ffrainc. Gyda llaw, pob lwc gyda'r frwydr dydd Sadwrn. Ta ra.

– Berian a Bedwyr Breeze wedi tynnu 'nôl 'fyd? gofynnodd Delyth.

Edrychodd Les ar ei wraig a gweld gwên hunangyfiawn yn lledu ar draws ei hwyneb.

Doedd gan Les ddim awydd dweud wrth Delyth y byddai, mwy na thebyg, yn cael ei holi'n dwll gan yr heddlu pan fyddai'n dychwelyd o'i wyliau.

Roedd ei fywyd fel petai wedi syrthio'n ddarnau dros y flwyddyn ddiwethaf. Roedd wedi gorfod rhoi'r gorau i'w waith fel athro, ac yna wedi'i ddiarddel o'r British Re-enactment Association. Roedd wedi gwneud ei orau glas i adennill ei hunan-barch drwy drefnu'r daith i Ffrainc i ddial ar BRA, ond roedd y cynllun hwnnw'n deilchion erbyn hyn oherwydd styfnigrwydd Delyth ac anwadalrwydd y pum aelod arall o CACH. Ar ben hynny, roedd wedi gorfod dioddef Ffrancwr yn rhoi ei law i fyny ei ben-ôl, wedi darganfod nad oedd ei dad-cu yn hanner y dyn roedd wedi meddwl ei fod e, heb sôn am y ffaith fod Al Edwards wedi dial arno am ei gyhuddo ar gam o fewnforio cyffuriau i Ffrainc.

Derbyniodd Les, wrth iddo yrru i gyfeiriad pentref Villers-Pol, na allai wneud dim ynglŷn â'r holl bethau anffodus oedd wedi digwydd iddo. Yna cofiodd y byddai Al Edwards a Rhian James wrthi'n gwerthu nwyddau y tu allan i'r stadiwm lle byddai Cymru'n herio Lloegr y diwrnod hwnnw. Gwelodd arwydd am ddinas Lens, a phenderfynodd lywio'r cerbyd tuag at y ddinas honno. Gallai ddial am bopeth oedd wedi mynd o'i le yn ei fywyd, gan ganolbwyntio ar un gwrthrych yn unig, ac arllwys ei holl lid ar Al Edwards. Roedd Les wedi colli arni'n llwyr.

– Be ti'n wneud, Les? Nid dyma'r ffordd i Villers-Pol ... Les! Les!

Ni ddywedodd Les air, dim ond gafael yn dynn yn y llyw ac edrych yn syth o'i flaen.

– Paid â meddwl am eiliad ein bod ni'n mynd i Lens. Dwi'n deall bod darganfod y gwir am farwolaeth dy dad-cu wedi dy ypsetio di, ond nid dyma'r ateb, plediodd Delyth.

Ond er gwaethaf ei geiriau, cyrhaeddodd y ddau'r maes parcio agosaf i Stadiwm Pêl-droed Bollaert-Delelis yn Lens hanner awr yn ddiweddarach. Eisteddodd y pâr mewn tawelwch am ennyd.

– Hwn yw dy gyfle olaf, Les. Os wyt ti am ddial ar Al Edwards, mi fyddi di'n treulio gweddill y gwyliau ar dy ben dy hun oherwydd mi fydda i'n mynd i aros at Manon yn Clermont-Ferrand.

– Mae'n rhaid imi wneud hyn i adennill tamed bach o hunan-barch. Sori, Delyth, meddai Les.

– Rhyngot ti a dy gawl, Leslie Welsh, oedd y peth olaf a ddywedodd Delyth cyn camu allan o'r Citroën Xsara Picasso a cherdded i ffwrdd.

32.

Ddwy funud yn ddiweddarach roedd Les Welsh ar ei ffordd i Stadiwm Pêl-droed Bollaert-Delelis. Ei fwriad oedd cerdded o amgylch y stadiwm nes iddo ddod o hyd i Al Edwards.

Cododd ei galon wrth iddo gerdded ar draws y maes parcio pan welodd gamperfan VW gyda lluniau o Gareth Bale, Aaron Ramsey, Ashley Williams, Joe Ledley a chwaraewyr eraill tîm pêl-droed Cymru wedi'u paentio ar un ochr iddi. Cerddodd draw at gamperfan Al a Rhian gan wenu. Edrychodd o'i amgylch yn llechwraidd cyn sleifio dan yr injan.

33.

Cyrhaeddodd Terry O'Shea ac Emyr Owen ddinas Lens ganol y bore, gan adael yr Ace Capri 500 mewn maes parcio yng nghanol y ddinas. Gwyddent mai rhyw chwarter awr fyddai'n ei gymryd i gerdded i'r stadiwm pêl-droed o'r fan honno. Penderfynodd y ddau grwydro ymysg y cefnogwyr oedd wedi cyrraedd yn gynnar ar gyfer y gêm, a fyddai'n dechrau am dri o'r gloch y prynhawn hwnnw.

Roeddent yn cerdded yng nghyffiniau'r orsaf reilffordd pan feddyliodd Terry ei fod yn adnabod menyw oedd yn brasgamu tuag at fynedfa'r orsaf.

– Dere 'da fi, meddai'n dawel wrth Emyr, cyn dechrau dilyn y fenyw i mewn i'r orsaf. Roedd ei galon yn curo'n gyflym erbyn hyn.

– Bore da, Madame Welsh, meddai. Trodd y fenyw i'w wynebu.

– Bore da, Monsieur O'Shea, meddai Delyth Welsh, gan wenu'n siriol ar y *Poursuivant d'Amour*.

34

Roedd Al a Rhian wedi cyrraedd y maes parcio agosaf at y stadiwm pêl-droed am naw o'r gloch y bore hwnnw. Roeddent eisoes wedi rhoi'r gorau i unrhyw syniad o wisgo fel cerfluniau byw i ddangos y frawdoliaeth rhwng Cymru a Lloegr am nad oedd fawr o frawdoliaeth rhwng dilynwyr y ddwy wlad. Aethant ati felly i werthu eu nwyddau.

Roedd Al ar ben ei ddigon ac yn mwynhau'r awyrgylch cyn y gêm pan suddodd ei galon. Gwelodd ddyn bach moel gyda mwstásh, yn gwisgo siorts byr, tyn, yn cerdded tuag ato o'r pellter. Stopiodd y dyn am eiliad pan welodd fod Al yn syllu arno. Yna lledodd gwên fach sbeitlyd dros wyneb y dyn bach cyn iddo ddechrau brasgamu tuag at Al.

Doedd Rhian ddim wedi gweld Les am ei bod yn brysur yn paentio dreigiau coch ar wynebau dau o gefnogwyr Cymru. Gwyddai Al y byddai'n rhaid iddo ymateb yn gyflym i atal Les rhag cwrdd â Rhian.

– Mi fydda i 'nôl mewn munud, cariad, meddai wrth Rhian.

– Iawn, cariad, atebodd honno heb edrych i fyny o'i thasg.

Rhuthrodd Al tuag at Les.

– Beth sydd 'da chi i'w ddweud am hyn, yr hwrgi blewog? taranodd Les gan dynnu ei ffôn allan o'i boced a phwyntio at y llun o'r cartŵn ar ochr ei garafán.

– Mae'n flin gen i, Mr Welsh. Dwi ddim yn gwybod beth ddaeth drosta i, meddai Al, gan edrych dros ei ysgwydd a symud ychydig fel na fyddai Rhian yn gweld Les.

– Ry'ch chi wedi pardduo f'enw da i. Ry'ch chi'n warth ar y genedl ...

– Dwi'n gwybod. Ro'n i dan lawer o straen ... Mi dala i i chi ... mi wna i unrhyw beth, meddai Al gan edrych dros ei ysgwydd unwaith eto.

– Oedd y ddau ohonoch chi'n gyfrifol? Neu ai eich campwaith chi yn unig oedd y cartŵn ffiaidd 'na? gofynnodd Les, gan amneidio i gyfeiriad Rhian.

– Na ... dyw Rhian ddim yn gwybod beth wnes i, atebodd Al, cyn sylweddoli ar unwaith iddo wneud camgymeriad.

– Nag yw hi wir? Falle ddyle hi gael gwybod pa fath o ddyn y'ch chi, meddai Les gan gymryd cam tuag at y stondin lle roedd Rhian yn dal wrthi'n paentio.

– Na! Dwi'n erfyn arnoch chi, Mr Welsh. Peidiwch â dweud gair wrth Rhian ... mi fydd hi ar ben arnon ni ... mi wna i unrhyw beth, Mr Welsh ... unrhyw beth.

– Unrhyw beth? gofynnodd Les, wrth i syniad ddechrau ffurfio yn ei ben.

– Unrhyw beth, Mr Welsh.

Gwenodd Les, yna rhoi ei fraich ar ysgwydd Al cyn dechrau esbonio telerau ei dawelwch.

35.

Roedd Terry O'Shea a Delyth Welsh yn dal i wenu ar ei gilydd pan gyrhaeddodd y trên oedd yn cludo dilynwyr pêl-droed Cymru o ddinas Lille i Lens funud yn ddiweddarach.

– Ydych chi'n gadael Lens? gofynnodd Terry, gan wylio'r trên yn dod i stop.

– Ydw. Rwy'n mynd i aros 'da ffrind yn Clermont-Ferrand, atebodd Delyth, cyn i Terry gynnig prynu diod iddi yn un o gaffis yr orsaf.

Bum munud yn ddiweddarach, eisteddai'r tri mewn caffi cyfagos. Dechreuodd Delyth a Terry sgwrsio am eu gwyliau hyd yn hyn, tra eisteddai Emyr yn dawel wrth eu hymyl. Roedd hwnnw wedi cynhyrfu'n llwyr, gan ysu i wybod a oedd y tegan draig goch yn ddiogel. Ond nid oedd Terry wedi sôn am y tegan hyd yma.

Roedd nerfau Emyr ar chwâl erbyn i Delyth godi ar ei thraed a dweud y dylai fynd i holi pa drên oedd ei angen arni i fynd i Clermont-Ferrand. Doedd Terry ddim wedi dweud gair am y tegan wrth iddo siglo llaw Delyth, ac roedd Delyth wedi penderfynu peidio â dweud gair am ei ffrae gyda Les.

– Gofynna iddi am y 200,000 Ewro ... gofynna iddi am y 200,000 Ewro ... Ble mae'r tegan? Ble mae'r blydi tegan? meddai Emyr wrtho'i hun dro ar ôl tro. Ond er mawr ryddhad iddo, trodd Terry yn ôl wedi iddo ffarwelio â Delyth, a gofyn mewn ffordd ffwrdd â hi,

– O! Gyda llaw. Ydy'r tegan draig goch roies i ichi yn Bordeaux yn dal gyda chi?

– Ydy. Pam y'ch chi'n gofyn? gofynnodd Delyth.

– Am fod 200,000 Ewro y tu mewn iddo ... atebodd Emyr yn uchel heb feddwl.

Clywodd Terry'n griddfan a gwelodd Delyth yn edrych yn syn arno.

– O, Emyr! meddai Terry'n dawel.

Syllodd Delyth ar Terry am ennyd.

– Ydy hyn yn wir?

Penderfynodd Terry ymddiried yn Delyth a chyfaddef y cwbl.

– Mae'n stori hir, Delyth ...

– Mae gen i drwy'r dydd, atebodd Delyth gan eistedd i lawr unwaith eto.

Ni sylwodd y tri fod Alexei Maximovich Peshkov a Semyon Smerdyakov Marmeladov yn eistedd yng nghefn y caffi yn eu gwylio.

36.

Cafodd Rhian James sioc pan welodd Al yn cerdded tuag at y stondin nwyddau yng nghwmni Les Welsh. Siglodd Les law Rhian yn wresog cyn esbonio pam ei fod yno.

– Mae'r anghytundeb rhyngddo i ac Al fan hyn wedi bod yn pwyso'n enbyd ar fy nghydwybod i yn ystod y dyddiau diwethaf, Ms James.

– Galwch fi'n Rhian, Mr Welsh.

– Felly, Rhian, mi benderfynais i ddod yma i ymddiheuro i'r

ddau ohonoch chi am fy ymddygiad gwarthus yn St Malo a Bordeaux, gan obeithio y byddwch chi'ch dau'n derbyn yr ymddiheuriad hwnnw, gorffennodd Les yn seimllyd.

– Diolch o galon ichi, Les ... ond roedd Al gymaint ar fai â chi.

– Os nad mwy, Rhian, os nad mwy, cytunodd Al yn eiddgar.

– Twsh. Twsh. Beth bynnag am hynny ... rwy wedi dod yma i gynnig eich helpu chi'ch dau i werthu'ch nwyddau heddiw, meddai Les.

– ... ac yn ysbryd brawdoliaeth, dwi wedi derbyn cynnig hael Mr Welsh inni deithio gydag e i Poitiers, meddai Al, wrth i Rhian edrych yn ddryslyd ar y ddau.

Esboniodd Al am ddiddordeb Les mewn brwydrau canoloesol a'r frwydr fawr fyddai'n cael ei chynnal yn Poitiers y dydd Sadwrn canlynol.

– Ro'n i'n meddwl y byddai'n gyfle inni brofi rhywbeth gwahanol ar ein taith o amgylch Ffrainc, awgrymodd Al.

– Pam lai ... ond ble mae Delyth? gofynnodd Rhian, oedd yn awyddus i ailgydio yn ei pherthynas â'r fenyw garedig y bu iddi gwrdd â hi yn Bordeaux.

– Yn anffodus, dyw Delyth ddim mor frwd â mi am y brwydro canoloesol. Felly mae hi wedi teithio ar wahân i gwrdd â'i ffrind yn Clermont-Ferrand, eglurodd Les yn hanner celwyddog, gan bendroni tybed a fyddai catrawd o ddau filwr dan ei oruchwyliaeth yn ddigon i drechu cant a hanner o aelodau byddin BRA fyddai'n cael ei harwain gan John Gaunt ddydd Sadwrn.

37.

Eisteddai Delyth, Terry ac Emyr wrth fwrdd yng nghornel caffi yng ngorsaf drenau dinas Lens. Bu Delyth yn gwrando'n astud ar Terry ac Emyr yn esbonio pam fod 200,000 Ewro wedi'i guddio yn y tegan draig goch a roddodd Terry'n anrheg iddi.

Esboniodd y ddau fod yr arian ar gyfer elusen, ond nid oedd Delyth yn deall pam fod yr arian wedi'i gludo i mewn i'r wlad mewn tegan meddal.

– Mae pawb yn gwybod mai 10,000 Ewro yn unig allwch chi fynd gyda chi dramor mewn arian parod, meddai Delyth.

– Wir? gofynnodd Emyr, gan sylweddoli am y tro cyntaf fod ei ewythr wedi'i roi mewn sefyllfa gas.

– Rwy'n erfyn arnoch chi i roi'r tegan yn ôl i ni. Rwy'n fodlon talu 5,000 Ewro i chi am eich trafferth, meddai Emyr. – Mae'n rhaid imi drosglwyddo'r arian i gyswllt busnes Wncwl Steffan pan fydda i'n cwrdd ag e cyn y gêm rhwng Cymru a Rwsia yn Toulouse nos Lun.

Bu tawelwch rhwng y tri wrth i Delyth feddwl am ei phenderfyniad. Roedd hi'n flin gyda Les o hyd am benderfynu dial ar Al Edwards. Gwyddai y byddai ei gŵr yn siŵr o fanteisio ar ei bwriad i ymweld â'i ffrind coleg drwy gymryd rhan yn yr ailgread o frwydr Poitiers dros y Sul.

– Dwi'n cynnig 10,000 Ewro am eich cydweithrediad, cynigiodd Emyr, er ei fod yn amau nad oedd Delyth yn gwrando arno.

Yn sydyn penderfynodd Delyth Welsh ei bod wedi gwastraffu digon o'i bywyd yn dilyn anturiaethau penchwiban ei gŵr, a'i bod yn hen bryd iddi brofi ei hantur ei hun fel un o arwresau nofelau Colette y bu'n eu darllen. Byddai'n gyfle hefyd iddi gael gwybod faint yn union yr oedd ei gŵr yn ei charu.

– Ry'ch chi'n dweud eich bod yn bwriadu teithio i Toulouse erbyn dydd Llun, meddai, wrth i Terry ac Emyr amneidio'n eiddgar. – O'r gorau. Mae'r tegan yn ddiogel. Mae e gyda Les. Mi ffonia i e nawr. Does dim rhaid ichi dalu ceiniog i mi, ychwanegodd, gan estyn am ei ffôn symudol a dechrau deialu.

– Diolch, Delyth. Ry'ch chi'n gwneud y peth iawn, meddai Terry gan wenu ar Emyr, a winciodd arno'n gyfrinachol.

– Les ... helô ... does dim ots ble ydw i. Gwranda'n astud. Rwy wedi cael fy herwgipio. Ie, herwgipio. Her...w...gip...io. Ie, *kidnapped*. Gwranda. Mae 200,000 Ewro wedi'i guddio mewn tegan draig goch yn y garafán. Ie. 200,000 Ewro. 'Sdim ots sut ddois i o hyd iddo ... ond mae'r bobl sy berchen yr arian am ei gael e 'nôl ... Ie. Dyna pam maen nhw wedi fy herwgipio i ... na, paid â phoeni am gost yr alwad ffôn, Les, mae'n un fewnol ... rwy'n deall ... rwyt ti mewn sioc. Gwranda. Rwy wedi cael fy herwgipio. Ie. Galwad ffôn fewnol ... Ie. *Kidnapped*. Gwranda! Dere â'r arian i'r sgwâr yng nghanol dinas Clermont-Ferrand am dri o'r gloch brynhawn Sadwrn a fydd dim byd yn digwydd i mi. Ie ... Clermont-Ferrand ... ie, yn agos i lle mae Manon yn byw ... ond cyd-ddigwyddiad yw hynny... Ie... *Kidnapped*... na, Les... mae hon yn alwad fewnol ... na, does dim tâl o 4.4 ceiniog. Dyna pam wnes i brynu'r ffonau 'ma. Les ... Les, gwranda. Mae'r bobl 'ma'n beryglus iawn ... felly paid â chysylltu â'r heddlu ... ie ... Clermont-Ferrand ... canol y ddinas ... ie ... wrth y cloc ... tri o'r gloch dydd Sadwrn, meddai Delyth gan ddiffodd y ffôn a gweld Terry ac Emyr yn eistedd fel delwau â phaned o goffi bob un yn eu dwylo.

– Mae'n flin gen i. Anghofiais i ddweud fy mod i a Les wedi cael ffrae. Peidiwch â phoeni. Mi fydd Les yn dod â'r arian i Clermont-Ferrand erbyn dydd Sadwrn, meddai Delyth, gan wybod y byddai ei chynllun yn gorfodi ei gŵr i roi'r gorau i'w gynllun yntau i chwarae milwyr mewn cae yn Poitiers ddydd Sadwrn.

– Ond ry'ch chi wedi'n cyhuddo ni o'ch herwgipio, meddai Emyr.

– Na, Emyr, meddai Delyth. – Ddwedais i wrth Les fod rhywun wedi fy herwgipio i. Ddwedais i'r un gair amdanoch chi'ch dau. Y cynllun yw fy mod i'n teithio gyda chi i Clermont-Ferrand lle byddwn ni'n aros gyda fy ffrind i heno a nos yfory. Mi fydd Les yn dod i gwrdd â mi yn Clermont-Ferrand am dri o'r gloch ddydd Sadwrn ac yn rhoi'r arian i mi. Ac mi fydda i yn fy nhro'n rhoi'r arian i chi. Ar ôl ichi gael yr arian, mi fyddwch chi'n mynd ymlaen i Toulouse. Mae Les yn deall y goblygiadau o beidio ag ufuddhau i 'nymuniad i, p'un a yw e'n credu 'mod i wedi fy herwgipio neu'n credu 'mod i'n rhaffu celwyddau. Does dim dewis ganddo. Mae'n flin gen i am eich defnyddio chi'ch dau fel hyn, ond mae'n rhaid imi wybod ai fi sy'n dod gynta ym mywyd Les ai peidio. Ond rwy'n ffyddiog y bydd Les yn gwneud y penderfyniad iawn. Ac wedyn mi fydd pawb yn hapus.

Cododd Delyth o'i sedd. – Dewch 'mla'n. Well inni ddechrau ar y daith i Clermont-Ferrand. Mae'n hanner dydd nawr. Ddylien ni gyrraedd cartre fy ffrind erbyn deg o'r gloch heno, meddai.

Cododd Terry ac Emyr a'i dilyn, gan sylweddoli mai Delyth oedd, mewn gwirionedd, wedi'u herwgipio nhw. Eiliadau'n ddiweddarach cododd Peshkov a Marmeladov o'u seddi a dilyn Terry, Emyr a Delyth i'r maes parcio.

38.

Diffoddodd Les y ffôn ar ddiwedd y sgwrs gyda Delyth. Edrychodd Al a Rhian yn bryderus arno wrth i'r tri ohonynt sefyll o flaen y stondin nwyddau y tu allan i Stadiwm Bollaert-Delelis.

– Ydy popeth yn iawn, Les? gofynnodd Rhian wrth weld yr olwg bryderus ar ei wyneb.

Siglodd Les ei ben mewn anghrediniaeth. Roedd Delyth wedi colli arni'n llwyr. Roedd ei honiad ei bod wedi'i herwgipio am fod tegan draig goch gyda 200,000 Ewro ynddo yn eu meddiant yn gwbl anghredadwy. Gwyddai Les fod Delyth yn anhapus ynglŷn â'i benderfyniad i ddial ar Al, ac am ei fwriad i gymryd rhan ym mrwydr Poitiers. Ond roedd yr ymdrech bathetig yma i geisio newid ei feddwl yn hollol warthus. Roedd hi'n amlwg fod Delyth yn rhaffu celwyddau. Petai hi wedi'i herwgipio go iawn, mi fyddai'n dipyn o gyd-ddigwyddiad bod yr herwgipwyr yn mynnu bod Les yn mynd i ddinas Clermont-Ferrand i drosglwyddo'r arian, sef y ddinas agosaf at gartref ffrind Delyth. Ac roedd amseru'r trosglwyddo hyd yn oed yn fwy o gyd-ddigwyddiad, meddyliodd Les, sef yr un pryd yn union â'r ailgread o frwydr Poitiers.

Hefyd, doedd Les erioed wedi clywed am unrhyw un a gafodd ei herwgipio yn gwneud yr alwad ffôn i drafod yr amodau a'r telerau ar ran yr herwgipwyr.

Roedd hi'n amlwg bod Delyth yn fodlon gwneud unrhyw beth i'w atal rhag cael ei ffordd ei hun. Penderfynodd Les na fyddai'n plygu i ewyllys Delyth na neb arall. Mi fyddai'n cymryd rhan ym mrwydr Poitiers gydag Al Edwards a Rhian James.

– Ydy popeth yn iawn, Les? gofynnodd Rhian unwaith eto.

– *Tickety-boo* ... *Hunky-dory*, Rhian. Delyth oedd ar y ffôn. Roedden ni'n trafod pryd alla i ymuno â hi yn Clermont-Ferrand ddydd Llun, atebodd Les. – Nawr 'te ... sut alla i'ch helpu chi i werthu'r nwyddau 'ma?

39.

Dechreuodd Terry O'Shea ac Emyr Owen ar y daith naw awr i Clermont-Ferrand yng nghwmni Delyth Welsh toc cyn un o'r gloch y prynhawn hwnnw. Roedd y tri wedi gwibio heibio i Baris yn yr Ace Capri 500 erbyn i'r gêm rhwng Cymru a Lloegr ddechrau am dri o'r gloch. Roeddent wedi gwibio heibio i ddinas Orléans erbyn i'r gêm orffen ddwy awr yn ddiweddarach.

Dilynodd Peshkov a Marmeladov y camperfan yr holl ffordd. Roedd Marmeladov eisoes wedi ffonio cyflogwr y ddau, Boris 'y corryn' Petrovich, i'w hysbysu fod Terry ac Emyr wedi cwrdd â menyw ganol oed yn Lens, a'i bod hi nawr yn teithio gyda nhw i dde Ffrainc.

– Pwy yw hi? gofynnodd Boris.

– Rwy'n ffyddiog mai hi sydd wedi bod yn cadw'r arian ar ran Emyr Owen a Terry O'Shea, atebodd Marmeladov.

– Pam wyt ti'n meddwl hynny? Echdoe roeddet ti'n meddwl mai cyn-aelod o Leng Dramor Ffrainc oedd yn cadw'r arian, meddai'r corryn yn dawel, cyn gweiddi, – Rwyt ti wedi lladd ugain o bobl imi heb unrhyw drafferth, Marmeladov. Mae'n rhaid iti gau pen y mwdwl ar hwn cyn gynted â phosib ... pam wyt ti'n meddwl mai hi yw'r *courier*?

– Mi welais i O'Shea yn mynd i'w charafán hi yn Bordeaux fore Sadwrn. Roedd e'n cario rhywbeth mewn bag plastig. Dwi'n siŵr bod O'Shea wedi trosglwyddo'r tegan gyda'r arian ynddo i'r fenyw bryd hynny, meddai Marmeladov.

– Felly hi yw eu *courier*. Clyfar ... clyfar iawn, meddai Petrovich.

– Beth y'ch chi am inni wneud, bòs? gofynnodd Marmeladov.

– Chwilio'r fan yn drwyadl unwaith eto pan gewch chi gyfle ... ac ar ôl ichi ddod o hyd i'r arian ... cael gwared arnyn nhw ... yr un cynllun ... damwain ffordd ...

– ... gan gynnwys y fenyw?

– Wrth gwrs, atebodd y corryn cyn diffodd ei ffôn.

40.

Er i Gymru golli o ddwy gôl i un yn erbyn yr hen elyn, roedd Al a Rhian yn weddol fodlon, wrth iddyn nhw a Les gerdded i'r maes parcio ar ôl y gêm, gan eu bod wedi gwneud elw da yn ystod y dydd.

Roedd y tri eisoes wedi penderfynu cychwyn ar eu taith i Poitiers, gan fwriadu aros y noson honno yn yr un maes gwersylla ger Orléans ag yr oedd Les a Delyth wedi aros ynddo'r nos Sul cynt. Roedd Les wedi ffonio i sicrhau bod lle ar gael iddyn nhw yno, cyn iddyn nhw fynd yn eu blaenau i Poitiers fore trannoeth.

Ond roedd Al wedi meddwl am gynllun yn ystod y prynhawn fyddai'n ei ryddhau o grafangau Les Welsh. Roedd wedi teimlo'r hen baranoia'n dychwelyd, a gwyddai y byddai ei berthynas ef a Rhian ar ben petai Les yn dangos y llun o'r cartŵn ar ochr y garafán.

Ffarweliodd Al a Rhian â Les ger y Citroën Xsara Picasso yn

y maes parcio, cyn cerdded draw at eu camperfan. Y bwriad oedd bod Al a Rhian yn dilyn Les i'r maes gwersylla er mwyn iddo gasglu ei garafán oddi yno cyn dechrau ar y daith i Orléans. Ond nid oedd Al yn bwriadu dilyn y gwallgofddyn i Poitiers. Byddai'n llwyddo i golli Les wrth ei ddilyn ar y daith hir i Orléans. Hefyd, byddai'r darn o bapur a roddodd Les i Al gyda manylion y maes gwersylla yn Orléans yn mynd ar goll. Byddai Al yn cael ei geryddu gan Rhian am fod yn esgeulus, ond ni fyddai hynny'n ddim o'i gymharu â'r hyn fyddai'n digwydd petai Les yn gadael y gath o'r cwd.

Gwenodd Al iddo'i hun wrth danio injan y camperfan VW. Ond diflannodd y wên eiliadau'n ddiweddarach pan fethodd yr injan â thanio. Roedd pennau y ddau o dan y bonet bum munud yn ddiweddarach pan welsant Les yn parcio'i gar ger y camperfan.

– Lwcus imi yrru heibio, yntê? Be sy'n bod? gofynnodd Les gan gamu allan o'i gar ac ymuno ag Al a Rhian. – Ie ... fel ro'n i'n ofni ... mae'r *alternator* wedi torri, meddai, wedi iddo astudio'r injan yn graff cyn siglo'i ben.

– Sut y'ch chi'n gwybod? gofynnodd Rhian.

– Ro'n i'n athro gwaith metel a pheirianneg am bron i chwarter canrif, Rhian. Rwy'n cofio stripio un o'r faniau hyn a'i rhoi'n ôl at ei gilydd pan o'n i yn y coleg, eglurodd Les.

– Beth allwn ni wneud? gofynnodd Al.

– Y peth gorau i'w wneud yw gadael imi dowio'r fan i'r maes gwersylla. Gaf i air gyda'r perchennog a gofyn iddo ffonio garej lleol er mwyn iddyn nhw archebu *alternator* newydd. Mi ddylai gyrraedd erbyn dydd Llun. Yn y cyfamser, mi allwch chi deithio gyda fi i Poitiers. Mi ddown ni 'nôl yma ddydd Sul ac mi drwsia i'r car fore Llun cyn imi fynd i ailymuno â Delyth ddydd Mawrth.

– Ond, Les ... mae hynny'n garedig iawn ... ydych chi'n siŵr? gofynnodd Rhian.

– Y peth lleia alla i wneud ... wedi'r cyfan, ry'ch chi'n fy helpu i ... *tit for tat*, yntê Al? meddai Les, gan roi ei ddwylo ym mhocedi ei siorts. Anwesodd y darn bach o fetel yn ei boced chwith, y darn bach o'r injan oedd yn angenrheidiol i danio'r camperfan. Roedd Les wedi dwyn y darn y bore hwnnw i wneud yn siŵr na fyddai Al a Rhian yn gadael cyffiniau'r stadiwm bêldroed cyn iddo ddal i fyny â nhw.

– Ie ... *tit for tat* ... yn hollol, atebodd Al gyda gwên wan.

41.

Manteisiodd John Gaunt ar y cyfle i ddringo i'r dec uchaf i edrych ar furiau gwenithfaen amlwg tref hynafol St Malo wrth i'r ffêri glosio at y porthladd Llydewig, toc wedi wyth o'r gloch y nos Iau honno.

Roedd hi'n noson braf o haf heb gwmwl yn yr awyr ac anadlodd John Gaunt yr awyr llawn heli'n ddwfn i'w ysgyfaint, gan gau ei lygaid a synfyfyrio am deimladau un o'i gyndeidiau, John of Gaunt, pan laniodd brawd ieuengaf y Tywysog Du yn Ffrainc i ymladd yn erbyn y Ffrancwyr yn ystod y Rhyfel Can Mlynedd, dros 650 o flynyddoedd yn ôl.

Safodd John Gaunt ger pen blaen y llong a'i lygaid ynghau am funudau hir, yn meddwl am John of Gaunt a'i ffawd. Teimlai lonyddwch pur gyda dim ond sŵn y ffêri'n palu trwy'r môr i'w glywed, nes i'r llais dros yr uchelseinydd rybuddio'r teithwyr ei bod hi'n bryd iddyn nhw ddychwelyd i'w ceir cyn i'r ffêri lanio.

Daeth yr amser iddo ymuno â'i fyddin, a fyddai'n trechu rhengoedd Ffrainc ymhen deuddydd. Cerddodd yn araf i ymuno â'r cant a hanner aelod arall o'r British Re-enactment Association, a'r ugain ceffyl oedd wedi'u dewis ar gyfer y fraint o gynrychioli eu gwlad yn rownd derfynol pencampwriaeth Ewrop 1356 dros y Sul.

Rhan III

42.

Bu Terry O'Shea, Emyr Owen a Delyth Welsh yn teithio am bedair awr yn yr Ace Capri 500 cyn stopio i ail-lenwi'r tanc mewn gorsaf betrol ger dinas Bourges.

Roedd Terry wedi treulio'r oriau hynny mewn tawelwch wrth iddo yrru'r camperfan ar hyd y briffordd tra bod Delyth ac Emyr yn gwrando ar y gêm rhwng Cymru a Lloegr ar y radio, gyda Delyth yn cyfieithu'r sylwebaeth Ffrangeg ar gyfer Emyr. Nid ymatebodd Terry pan aeth Cymru ar y blaen yn dilyn cic gosb Gareth Bale, nac ychwaith pan unionodd Jamie Vardy'r sgôr yn yr ail hanner cyn i Daniel Sturridge ennill y gêm i'r Saeson yn y funud olaf.

Yn hytrach, bu'n ystyried yn ddwys a ddylai sôn wrth Delyth am ei amheuon bod y Slofaciaid wedi ceisio dwyn y tegan draig goch yn Bordeaux ai peidio. Ar ôl pwyso a mesur yn hir penderfynodd ddweud wrthi; teimlai fod ganddi hi a Les hawl i wybod y gallen nhw fod mewn perygl.

– Allet ti brynu tri choffi a rhywbeth i'w fwyta hefyd plis, Emyr? gofynnodd, wrth i Emyr gamu allan o'r camperfan yn y garej. Cytunodd Emyr cyn cau drws y fan. Pwysodd Terry'n agosach at Delyth a sibrwd yn Ffrangeg:

– Gwranda'n astud. Ond mae'n rhaid iti addo na fyddi di'n dweud gair wrth Emyr.

– O'r gorau, atebodd Delyth ef yn Ffrangeg, gan edrych yn bryderus arno. Dechreuodd Terry esbonio'r gwir reswm pam ei fod ef ac Emyr wedi teithio i Ffrainc gyda 200,000 Ewro yn eu meddiant.

Eglurodd ei fod yn amau fod yr arian oedd yn y tegan yn daliad am y cafiâr Beluga roedd Steffan Zelezki yn bwriadu'i brynu oddi wrth ei bartner busnes yn Toulouse, i'w fewnforio'n anghyfreithlon i Brydain. Ychwanegodd fod Steffan Zelezki wedi dweud wrth Emyr bod yr arian ar gyfer sefydlu elusen.

– Ond pam fydde fe'n dweud hynny? gofynnodd Delyth, a'i phen yn troi o ddeall ei bod hi a Les yn rhan o gynllun anghyfreithlon.

– Am nad oedd Steffan am ddweud y gwir wrth ei nai, sef bod yr arian ar gyfer cynllun peryglus a dweud y lleia, atebodd Terry, gan ychwanegu nad oedd Emyr yn ymwybodol o ddulliau busnes amheus ei ewythr, a'i fod newydd etifeddu rhan o'r cwmni yn dilyn marwolaeth ei fodryb.

– Ond pam nad wyt ti wedi dweud wrth Emyr am y cynllun i fewnforio'r cafiâr? Mae ganddo hawl i wybod bod ei ewythr yn bwriadu torri'r gyfraith, does bosib?

– Mae Emyr yn ymddiried yn llwyr yn 'Wncwl Steffan'. Mi fydden i'n cael fy nghosbi'n hallt gan Steffan a'i gysylltiadau busnes petaen nhw'n dod i wybod 'mod i wedi dweud y gwir wrtho. Mi allai Emyr adael y gath o'r cwd yn anfwriadol, oherwydd gall fod yn llac ei dafod, eglurodd Terry, cyn dweud wrth Delyth ei fod yn amau fod rhywun eisoes yn gwybod bod y 200,000 Ewro gan Emyr.

Esboniodd am y noson yng nghwmni'r Slofaciaid yn Bordeaux.

– Ond pwy fyddai'n gwybod bod yr arian yn y tegan? Cyswllt busnes Steffan Zelezki? gofynnodd Delyth.

Amneidiodd Terry i gytuno, cyn closio at Delyth a dweud yn dawel,

– Mae'n edrych yn debyg bod rhywun wedi tapio ffôn Steffan Zelezki ... ond mae'n bosib mai Steffan ei hun sy'n gyfrifol.

– Beth? Ond pam fyddai e am ddwyn ei arian ei hun?

– Mae Emyr newydd etifeddu tua thair miliwn o bunnoedd gan ei fodryb. Ond pwy fyddai'n etifeddu'r arian petai rhywbeth yn digwydd i Emyr? Does ganddo'r un berthynas arall yn dal yn fyw ... fel rwy'n deall.

– Wyt ti'n dweud bod Steffan am ladd Emyr?

– Mae'n bosib. Dwi wedi bod yn pendroni pam fod Steffan

wedi rhoi'r 200,000 Ewro i Emyr mewn arian parod. Byddai wedi bod yn haws iddo drosglwyddo'r arian i'w gyswllt busnes anhysbys yn gyfrin trwy gyfrifon banc a busnesau ffug. Dwi'n amau bod yr arian parod sydd gan Emyr yn daliad ar gyfer ei ladd. Efallai mai'r cynllun oedd bod y llofruddion yn dod o hyd i'r arian cyn lladd y ddau ohonon ni. Os yw hynny'n wir, roedden ni'n ffodus fy mod i wedi rhoi'r arian i ti yn Bordeaux. Mae'n bosib mai ti a achubodd ein bywydau ni, Delyth.

– Ond pam fyddai Steffan Zelezki am dy ladd di, Terry?

– *Collateral damage*. Byddai marwolaeth Emyr yn llai amheus petawn i'n cael fy lladd hefyd ... mewn damwain, awgrymodd Terry.

– Ond oes gen ti unrhyw dystiolaeth o hyn? gofynnodd Delyth.

– Dim o gwbl. Does dim byd amheus wedi digwydd ers inni adael Bordeaux. Mae'n bosib fy mod i'n hollol anghywir. Dyna pam nad ydw i wedi dweud dim wrth Emyr ac wedi dal ati i chwilio am y tegan draig goch, eglurodd Terry gan weld bod Emyr yn dychwelyd o siop yr orsaf betrol yn cario tri choffi.

– Roedd yn rhaid imi ddweud wrthot ti, rhag ofn bod fy amheuon yn wir, meddai Terry.

– Neu wyt ti am godi ofn arna i i wneud yn siŵr dy fod yn cael yr arian cyn gynted â phosib? gofynnodd Delyth, gan ychwanegu, – Os yw dy amheuon di'n wir, mi fyddwn ni'n ddiogel nes i Les roi'r arian i chi'ch dau ddydd Sadwrn.

– Digon gwir, Delyth, meddai Terry, wrth i Emyr straffaglu i agor drws y fan. – Ond o leia mi fydd dy ran di ar ben bryd hynny. Mi alli di a Les fynd ymlaen i fwynhau'ch gwyliau heb unrhyw ofid, ychwanegodd, gan weld cysgod yn lledu dros wyneb Delyth.

43.

Cyrhaeddodd Les Welsh, Al Edwards a Rhian James faes gwersylla Toujours Orléans toc wedi saith y noson honno.

Roedd y tri wedi symud y nwyddau o'r camperfan VW i garafán Les gan glymu'r cennin plastig mawr ar do'r Citroën Xsara Picasso cyn iddynt ddechrau ar y daith o ogledd Ffrainc y prynhawn hwnnw.

Roedd Les wrthi'n mwynhau noson fwyn o haf, yn eistedd yn yr adlen y tu allan i'w garafán yn ei siorts a'r crys T roedd un o aelodau'r Gymdeithas, Gweneira Morgan, wedi ei greu ar gyfer y chwe aelod o CACH. Roedd arfbais Owain Lawgoch, sef pedwar llew rhemp, ar flaen y crys T ac uwch ei ben, mewn llythrennau bras, y geiriau 'CACHwr o fri'.

Roedd y tri eisoes wedi codi'r adlen, a threfnu bod Al a Rhian yn cysgu yn y garafán tra bo Les yn treulio'r noson mewn sach gysgu yn yr adlen.

Cymerodd Les lwnc sylweddol o'r Château Mortagne-sur-Gironde a brynodd yn y pentref lle cafodd ei arwr, Owain Lawgoch, ei lofruddio. Gwyliodd Rhian ac Al yn paratoi swper. *Kebabs* llysieuol. Gwenodd wrth feddwl bod ei gynllun i ddarbwyllo Al a Rhian i gymryd rhan yn ailgread brwydr Poitiers wedi gweithio i'r dim.

Y noson cynt, perswadiodd Les berchennog y maes gwersylla yn ardal Lens i gadw camperfan Al a Rhian yno nes iddo ddychwelyd yng nghwmni'r ddau i'w thrwsio ddydd Llun. Bwriad Les oedd ailosod y darn roedd wedi'i ddwyn o'r injan heb i Rhian ac Al ei weld, gan dderbyn diolch y ddau am drwsio'r fan am ddim.

Am fod ei hwyliau mor dda'r noson honno penderfynodd rannu potel neu ddwy o'i Château Mortagne-sur-Gironde gyda Rhian ac Al, gan ddechrau trafod sut roedden nhw'n mynd i oresgyn y Saeson ar faes y gad ddydd Sadwrn.

– Mae'n biti nad yw Delyth gyda chi, Les, meddai Rhian gan roi'r *kebabs* winwns, pupur melys melyn, corbwmpen, madarch, a thomatos ar blât a'i estyn at Les.

– Dyw Delyth ddim yn or-hoff o fy niddordeb i mewn ail-greu brwydrau'r canol oesoedd, cyfaddefodd Les, oedd eisoes wedi claddu dau wydraid sylweddol o win. – … a dweud y gwir, mae Del wedi gwneud ei gorau glas i'm hatal rhag cymryd rhan yn yr ornest ddydd Sadwrn. Ond dyw blacmel emosiynol byth yn gweithio yn fy mhrofiad i, ychwanegodd yn hunangyfiawn, gan ddechrau bwyta'i *kebab* yn awchus.

– Nag yw? gofynnodd Al gan gymryd llwnc sylweddol o'i win a rhythu ar y moelyn rhagrithiol.

– O leia gawn ni gyfle i ddod i nabod ein gilydd yn ystod y tridiau nesaf, meddai Rhian gan droi at ei chymar, oedd ar fin cynnau sigarét lysieuol.

– Hmmm, meddai hwnnw'n amheus.

Anwybyddodd Rhian ef, gan droi yn ôl at Les.

– Dwi'n hapus eich bod chi ac Al wedi llwyddo i gladdu asgwrn y gynnen oherwydd mae gan y ddau ohonoch chi lawer yn gyffredin ... on'd oes, Les? gofynnodd Rhian gan gofio'r sgwrs hir a gafodd hi a Delyth yn y maes gwersylla ger Bordeaux y dydd Sadwrn cynt.

– Oes e? gofynnodd Les ac Al ar yr un pryd cyn edrych yn swrth ar ei gilydd.

– Dweda wrth Les am dy anghytundeb gyda'r cynhyrchydd teledu 'na, Al ... ac wedyn gall Les ddweud wrthot ti sut gollodd e ei swydd, meddai Rhian gan wenu'n siriol ar Les.

Gwgodd hwnnw, oherwydd roedd Delyth wedi addo peidio â dweud gair am y digwyddiad anffodus a ddaeth â'i yrfa fel athro i ben.

44.

Roedd Delyth Welsh wedi cael cyfarwyddiadau gan Manon Belmondo ar sut i gyrraedd ei thŷ ar gyrion ardal fynyddig y Massif Central ar ffurf e-bost bythefnos ynghynt.

Bu'r ddwy'n ffrindiau ers i Delyth dreulio blwyddyn ym Mhrifysgol Clermont-Ferrand yn 1986 fel rhan o'i chwrs gradd Ffrangeg. Buont yn rhannu llety yn y ddinas am flwyddyn ac roeddent wedi dod yn ffrindiau da.

Roedd Manon yn ferch boblogaidd ymysg y myfyrwyr gwrywaidd am fod ganddi lygaid gleision a bronnau sylweddol. Torrodd sawl calon yn ystod y flwyddyn honno. Roedd yn ferch nobl a dweud y lleia, a thorrodd sawl gwely hefyd yn y cyfnod hwnnw gyda'i hanturiaethau rhywiol.

Dyna oedd yn mynd trwy feddwl Delyth wrth i Terry yrru'r Ace Capri 500 ar hyd y ffyrdd cul i bentref St Nectaire ger mynydd Puy de Sancy, rai milltiroedd i'r de o ddinas Clermont-Ferrand.

Nid oedd Delyth wedi cael cyfle i ymweld â'i ffrind yn Ffrainc ers ei dyddiau coleg oherwydd dyfodiad y plant ac obsesiwn ei gŵr â threulio pob gwyliau yn ail-greu brwydrau canoloesol. Doedd Manon, ychwaith, ddim wedi cael cyfle i ymweld â Chymru am iddi briodi'n fuan ar ôl graddio. Treuliodd hithau'r deng mlynedd ar hugain nesaf yn magu ei dwy ferch a rhannu'i hamser rhwng gweithio ar fferm fynyddig ei rhieni a dysgu Llenyddiaeth Ffrangeg yn un o ysgolion uwchradd Clermont-Ferrand.

Serch hynny, bu Manon a Delyth yn cysylltu â'i gilydd drwy lythyru'n rheolaidd ers i'r Gymraes ddychwelyd adref yn 1987. Closiodd y berthynas dros y degawd diwethaf yn sgil dyfodiad y we a thwf cyfryngau cymdeithasol. Dechreuodd y ddwy gyfathrebu'n fisol a buont yn gefn i'w gilydd ar ôl i'w plant hedfan y nyth. Erbyn hyn roedd merch hynaf Manon yn gweithio i'r gwasanaeth sifil ym Mharis, a'i merch ieuengaf yn treulio chwe mis yn teithio yn Asia.

Roedd rhieni Manon wedi marw ers blynyddoedd ac roedd hi a'i gŵr, Luc, wedi llwyddo i gadw'r fferm ar ei thraed gyda chymorth cyflog Manon, nes i Luc ei gadael am fenyw arall flwyddyn ynghynt.

Awchai Delyth, felly, i weld ei ffrind am y tro cyntaf ers deng mlynedd ar hugain, wrth i'r haul fachlud yn araf dros fynyddoedd y Massif Central y noson honno. Ond yn anffodus, roedd Terry wedi llwyddo i golli'i ffordd i'r fferm o bentref St Nectaire ac wedi dychwelyd i'r un pentref ar hyd y ffyrdd cul, troellog dair gwaith yn ystod y chwarter awr diwethaf.

– Stopia'r fan, Terry, mynnodd Delyth gan weld dyn canol oed yn cerdded gyda'i gi yng nghanol y pentref. Arafodd y fan a phwysodd Delyth allan o'r ffenest gan ofyn i'r dyn sut i gyrraedd La Ferme Belmondo.

– La Ferme Belmondo? gofynnodd y dyn, gan gamu'n ôl o'r fan am eiliad mewn dychryn, cyn gofyn, – Ydych chi am fynd i La Ferme Belmondo?

– Ydyn.

Pwysodd y dyn ymlaen gan edrych i fyw llygaid Emyr a Terry a eisteddai yn ymyl Delyth.

– Mae La Bête yn byw yno. Does yr un dyn yn ddiogel os aiff e yno, meddai, gan bwyntio'i fys i gyfeiriad heol fechan a arweiniai i fyny'r mynydd at adeilad gydag un golau ymlaen.

– Diolch, meddai Delyth.

– Pob lwc, atebodd y dyn, wrth siglo'i ben mewn anghrediniaeth, gan awgrymu na fyddai unrhyw un yn ei iawn bwyll am ymweld â'r bwystfil oedd yn byw yn La Ferme Belmondo.

45.

Roedd Les wedi gwrando'n astud ar Al yn adrodd ei stori am gael ei ddedfrydu am ymosod ar y cynhyrchydd teledu, y digwyddiad a ddinistriodd yrfa deledu Oli'r Octopws. Amneidiodd o bryd i'w gilydd, gan ddeall rhwystredigaeth Al yn llwyr.

– Hoffech chi rannu eich profiad chi gyda ni nawr, Les? gofynnodd Rhian yn dawel, fel petai hi'n arwain grŵp cydgymorth. Plethodd ei dwylo ar ei chluniau a phwyso ymlaen i wrando ar Les.

Gorffennodd Les ei bedwerydd gwydraid o win a thywallt ei bumed, cyn dechrau dweud bod bywyd athro yn ystod y degawd diwethaf yn un anodd iawn.

– Ro'n i eisoes dan gryn bwysau, yn gorfod dysgu'r holl gyrsiau gwaith metel a gwaith coed ar fy mhen fy hun. Pan ddechreuais i ddysgu yn '85 roedd tri ohonon ni yn yr adran. Ac roedd gan yr athrawon eraill barch tuag at athrawon gwaith coed a gwaith metel y pryd hynny. Serch hynny, ro'n i'n dygymod yn iawn ar y cyfan ... ond aeth tîm rheoli'r ysgol yn rhy bell fis Mai diwethaf, meddai Les gan gymryd llwnc hir o'i win.

– Be ddigwyddodd, Les? gofynnodd Rhian yn dawel er bod Delyth eisoes wedi dweud yr hanes wrthi'r penwythnos cynt.

– Cefais fy ngwahodd i swyddfa'r dirprwy brifathro. Un o'r rheiny sy'n methu dysgu ond sydd â gradd dda a thafod slic. Dywedodd hwnnw fod sefyllfa ariannol yr ysgol yn fregus ac na allent fforddio talu am athrawes gyflenwi i gymryd lle Mrs Peake, a fyddai'n absennol o'r gwaith oherwydd salwch hir dymor ... a gofynnodd y diawl imi ddechrau cymryd ei dosbarthiadau.

– Pa ddosbarthiadau, Les? gofynnodd Rhian.

Oedodd Les am eiliad cyn i'r gair dasgu allan.

– Brodwaith, Rhian ... brodwaith.

– Anfaddeuol, cytunodd Al gan ddechrau deall fod Les, hefyd, wedi gorfod dioddef penderfyniadau llym ac annheg gan ynfydion y sefydliad.

– Dywedodd y dirprwy ei fod wedi fy nghlywed i'n brolio yn y stafell athrawon ynglŷn â fy sgiliau creu dillad canoloesol.

– Beth ddwedoch chi wrtho? gofynnodd Al.

– Gwrthodais y cynnig.

– Fel y gwnes i gyda'r cynhyrchydd teledu, ebychodd Al.

– ... ond mi ddwedodd e nad oedd gen i ddewis am fod fy swydd-ddisgrifiad yn dweud bod yn rhaid imi gyflawni unrhyw dasg roedd y tîm rheoli'n gofyn imi ei gwneud – meddai Les.

– Beth ddwedoch chi am hynny? gofynnodd Al, a'i lygaid yn pefrio.

– Gwrthodais y cynnig unwaith eto.

– Fel y gwnes i gyda'r cynhyrchydd teledu, ebychodd Al

unwaith yn rhagor, gan godi'i ddwylo mewn anghrediniaeth ac edrych ar Rhian. Gwyddai honno ei bod wedi llwyddo, yn ei ffordd dawel ei hun, i greu dealltwriaeth rhwng y ddau. Ond nid oedd Les wedi gorffen ei stori.

– ... wedyn chwarddodd y diawl yn fy wyneb i a dweud 'brodwaith neu ddi-waith, dyna'r dewis, Les' ... dyna pryd neidiais i ar draws y bwrdd a'i wthio i'r llawr, cyn agor ffenest ei swyddfa a'i hongian allan ohoni gerfydd ei goesau, nes iddo gytuno i newid ei safbwynt, gorffennodd Les.

– A be ddigwyddodd wedyn?

– Mi dynnais i e 'nôl mewn i'r ystafell a'i adael yno oherwydd ro'n i bum munud yn hwyr i'r wers ar uniadau cynffonnog 'da blwyddyn un ar ddeg.

– A gawsoch chi'ch diswyddo? gofynnodd Al.

– Mi fues i'n fwy ffodus na ti, Al. Llwyddodd yr undeb i drefnu fy mod i'n ymddeol ar unwaith gyda phensiwn llawn, gan feio fy ymddygiad ar straen ormodol y swydd ... wedi'r cyfan, roedd swyddfa'r dirprwy brifathro ar lawr isaf yr adeilad, a dim ond deg centimedr oedd rhwng ei ben a'r llawr, eglurodd Les, gan godi'n sigledig o'i gadair i chwilio am botelaid arall o win.

Sylweddolodd Al fod Les ac yntau, os nad yn ddau enaid cytûn, yn ddau enaid oedd wedi'u cleisio'n arw yn ystod y flwyddyn flaenorol. Teimlai ei fod wedi camddeall Les yn llwyr a'i fod wedi cymryd yn erbyn y dyn anffodus ar gam. Erbyn hyn, roedd Al yn deall pam fod Les wedi chwerwi.

Closiodd Les ac Al yn arw yn ystod yr awr ganlynol wrth iddynt rannu gweddill y botelaid o win ar ôl i Rhian fynd i'r gwely yn y garafán. Cytunodd y ddau eu bod wedi dioddef yn arw a'r unig anghytundeb rhyngddynt bellach oedd pa un ohonynt oedd wedi dioddef fwyaf.

– ... Na, Les, *ti* sydd wedi dioddef fwya ... meddai Al yn feddw gan gofleidio'i ffrind newydd. – ... Mae Delyth wedi cefnu arnat ti ... ond dwi a Rhian yn fwy na bodlon camu i'r adwy ... dwi mor lwcus bod Rhian wedi bod yn gefn i mi ...

– Wyt wir, meddai Les, gan dynnu ei ffôn o'i boced a chlosio at Al. – ... ond fydd hi ddim os welith hi lun o'r cartŵn ar y garafán, ychwanegodd.

Llyncodd Al ei boer gan ofni'r gwaethaf cyn gweld Les yn gwasgu botwm ei ffôn i ddileu'r llun.

– Les, dyna'r peth mwya caredig mae unrhyw un wedi'i wneud i mi erioed. Rwyt ti'n ddyn da, meddai Al gan gofleidio Les yn dynn.

– Ydw i? gofynnodd Les, gan dynnu'r darn o injan camperfan Al a Rhian allan o boced ei siorts. – A fyddai dyn da wedi dwyn hwn? gofynnodd, gan esbonio beth oedd y ddyfais a pham yr oedd yn ei feddiant.

– Ond ... fyddai dyn drwg ddim wedi cyfadde hynny, mynnodd Al gan gofleidio Les yn dynn unwaith eto. – Les, mae'r ddau ohonon ni'n ddynion da, ac mi godwn eto ... meddai, cyn cwympo i'r llawr a syrthio i drwmgwsg meddw.

46.

Roedd hi bron â nosi'n gyfan gwbl erbyn i'r Ace Capri 500 gyrraedd La Ferme Belmondo am hanner awr wedi deg y noson honno. Crynodd Emyr drwyddo pan welodd gi mastiff anferth yn rhuthro allan i gyfarth ar y fan cyn cerdded o'i hamgylch yn fygythiol.

– Ai hwn yw'r bwystfil? gofynnodd.

– Na. Dyna'r bwystfil, meddai Delyth, gan weld bod ci hyd yn oed yn fwy wedi ymddangos o'r gwyll i gyfarth yn ffyrnig o flaen y cerbyd.

– Neu ai un o'r rhain yw e? gofynnodd Emyr, wrth i ddau gi arall ymuno â'r ddau gyntaf oedd yn glafoerio o flaen y fan.

Eiliad yn ddiweddarach eisteddodd y pedwar ci'n ufudd o flaen y cerbyd pan glywon nhw lais yn eu gorchymyn i wneud hynny. Daeth menyw dal, nobl allan trwy ddrws y ffermdy.

– Na ... hi yw La Bête, meddai Terry, gan rythu ar y fenyw dal a gerddai tuag at y cerbyd.

Hanner awr yn ddiweddarach eisteddai Delyth, Terry ac Emyr yng nghwmni Manon Belmondo wrth fwrdd y gegin, ar ôl iddynt orffen eu *potée auvergnate*, sef cawl nodweddiadol o ardal y Massif Central wedi'i wneud o fresych, tatws, bacwn, ffa a maip. Roedd gan y pedwar ohonynt wydraid o win o'u blaenau, yn ogystal â phlatiaid anferth o fisgedi, a chosyn o gaws cartref.

Roedd Delyth newydd esbonio iddi gael lifft i gartref Manon gyda Terry ac Emyr ar ôl iddi ffraeo gyda Les yn Lens. Penderfynodd beidio â sôn am yr anghydfod ynghylch y 200,000 Ewro ym mola'r tegan draig goch.

– O leia rwyt ti'n gallu ffraeo â gŵr, meddai Manon yn Ffrangeg, gan chwerthin a thaflu ei phen yn ôl, cyn sylwi bod Terry'n cyfieithu'r frawddeg yng nghlust Emyr.

– Mae'n flin gen i ... ddylen ni siarad mewn iaith mae pawb yn ei deall? Saesneg? gofynnodd, gan droi a phoeri yn y lle tân.

– Na ... mae'n iawn ... mae Terry a Delyth yn rhugl yn Ffrangeg ac rwy'n awyddus i ddysgu'r iaith, meddai Emyr yn Gymraeg, cyn i Delyth gyfieithu ei ymateb ar gyfer Manon.

– Rwy'n hapus i gyfieithu dros Emyr, meddai Terry'n dawel, gan geisio osgoi edrych ar Manon cyn gofyn, – Ers faint y'ch chi'n byw ar eich pen eich hun fan hyn?

– Blwyddyn gron. Mi ddihangodd y diawl gyda menyw arall ar ôl wyth mlynedd ar hugain.

– Mae'n flin gen i, meddai Terry'n gwrtais.

Edrychodd Emyr yn graff ar Terry, gan sylweddoli mai dyma'r tro cyntaf i'w gydymaith fod yn swil yng nghwmni menyw ers i'r ddau fod yn Ffrainc.

Taflodd Manon ei phen yn ôl a chwerthin yn uchel unwaith eto.

Edrychai Manon yn wahanol i unrhyw fenyw arall a gyfarfu Terry erioed. Roedd hi dros chwe throedfedd o daldra, gyda chluniau a bronnau anferth. Amazones o fenyw os bu un erioed. Ciledrychodd Terry ar y dannedd gwynion a'r gwallt du, gan feddwl nad oedd erioed wedi gweld menyw oedd yn edrych mor iach, cyn sylwi am y tro cyntaf ar y llygaid gleision yn syllu arno, wrth iddi bwyso ymlaen unwaith eto.

– Peidiwch â phoeni. Dwi ddim yn colli'r gŵr. Mae gen i Athos, Porthos, Aramis a d'Artagnan i gadw cwmni i mi, meddai Manon.

Rhewodd Terry, gan feddwl bod y fenyw ysblennydd hon yn byw gyda phedwar dyn. Daeth at ei goed pan welodd hi'n syllu'n dyner ar y pedwar ci a eisteddai'n dawel yn syllu'n ôl yn ufudd ar eu meistres. Roedd wedi cael gwersi ar ddiwylliant a llenyddiaeth Ffrainc yn y Lleng Dramor ac yn gyfarwydd â phedwar *Musketeer* Alexandre Dumas.

– Yn anffodus, mae d'Artagnan yn gloff ers sawl diwrnod bellach. Bydd yn rhaid imi fynd ag ef at y fet yfory. Ond gallwn ni fynd am dro cyn hynny os oes awydd arnoch chi? awgrymodd Manon.

Cydsyniodd Emyr a Terry cyn i Terry ei esgusodi ei hun, gan ddweud ei fod wedi blino ar ôl y daith hir. Cytunodd Emyr, a thywysodd Manon nhw i'w hystafelloedd gwely cyn gadael y cŵn allan ac ailymuno â Delyth wrth fwrdd y gegin. Agorodd botelaid arall o win coch ac eistedd ar ei phwys.

– Ddylet ti fod wedi dweud wrthyn nhw bod Luc wedi rhedeg bant gyda menyw ddeng mlynedd yn hŷn na ti am na allai ddygymod â dy ofynion yn y gwely nawr bod y plant wedi gadael cartref, meddai Delyth, gan arllwys gwydraid o win iddi'i hun. Gwenodd, gan gofio fod Manon wedi byw bywyd i'r eithaf gan fwynhau ei hun, bwyta, yfed a charu gyda'r un brwdfrydedd ac angerdd ag oedd ganddi tuag at lenyddiaeth Ffrainc. – Oes cariad newydd ar y gweill? gofynnodd.

– Mae tua dwsin wedi bod ar y rhestr fer o'r pentref ... yn amrywio o un ar hugain oed i drigain oed ... ond does yr un ohonynt wedi pasio'r prawf cyntaf, hyd yn oed, atebodd Manon, gan chwerthin unwaith eto.

– Ai dyna pam maen nhw'n dy alw'n La Bête yn y pentref? gofynnodd Delyth, cyn sôn am ymateb y dyn ym mhentref St Nectaire.

– Mwy na thebyg. *La Bête Humaine*, chwedl Émile Zola.

Chwarddodd Manon eto cyn closio at Delyth.

– Dweda fwy wrtha i am y Terry 'ma, meddai. – Wyt ti, fe ac Emyr yn ail-greu'r ffilm *Jules et Jim*? Ydw i'n synhwyro *ménage à trois*?

– Nag wyt. Does dim byd fel'na'n mynd ymlaen. Falle bod Les yn gallu bod yn boen ar adegau ond dwi'n ei garu.

– Digon teg ... ond dweda fwy wrtha i am y Terry 'ma. Sut mae e'n rhugl yn Ffrangeg?

– Mae'n gyn-aelod o Leng Dramor Ffrainc ac mae'n gwarchod Emyr, sy'n berchen busnes llewyrchus gyda'i ewythr. Mae'r ddau wedi dod i Ffrainc i ddilyn Cymru yn yr Ewros ... dyna'r oll alla i ddweud.

– Os felly, fydd dim ots gen ti os facha i ar y cyfle ...? holodd Manon, gan dywallt gwydraid o win.

47.

Saif pentref St Nectaire yng nghanol dyffryn o dan ddau glogwyn anferth. Ar un clogwyn roedd cartref Manon, La Ferme Belmondo. Ar y clogwyn arall, hanner milltir i ffwrdd, eisteddai Alexei Maximovich Peshkov a Semyon Smerdyakov Marmeladov yn eu cerbyd SUV. Bu'r ddau yno ers tair awr yn cadw golwg ar yr Ace Capri 500 oedd wedi'i barcio y tu allan i'r ffermdy.

Roedd Peshkov a Marmeladov wedi dilyn yr Ace Capri 500 am ddeng awr o Lens, cyn i Marmeladov benderfynu stopio am gyfnod, rhag i Terry O'Shea ddechrau amau ei fod yn cael ei ddilyn ar hyd ffyrdd unig y Massif Central. Penderfynodd ymddiried yn y synhwyrydd roedd wedi'i osod o dan y cerbyd yn Bordeaux, a gwelodd fod yr Ace Capri 500 wedi dod i stop yn La Ferme Belmondo. Dadansoddodd yr wybodaeth gan ddod o hyd i'r lleoliad gorau i wylio'r ffermdy, ac o ganlyniad roedd wedi parcio'r SUV ar ffordd gul gyferbyn â'r ffermdy, ar yr ochr arall i'r dyffryn.

– Mi gawn ni gyfle i chwilio'r fan eto heno, Marmeladov, meddai Peshkov, oedd wedi dechrau gwella o'r anafiadau a gafodd ym mynwent goffa Thiepval. – ... a dy dro di fydd hi'r tro hwn, ychwanegodd, gan wenu a dangos bod gweddill ei ddannedd wedi diflannu yn sgil y digwyddiad.

– Dwi ddim yn dwp, Peshkov. Mae gan y fenyw sy'n byw yn y ffermdy bedwar ci. Dwi ddim yn mynd yn agos i'r fan 'na heno. Mae fy nwylo i wedi'u hyswirio am gan mil Rwbl. Y rhain yw fy mywoliaeth, Peshkov. Dwi ddim yn mynd i adael i ryw gi gnoi fy mysedd bant. Ta beth, dy'n ni ddim yn gwybod a fydd yr arian yn y fan heno. Mae'r synhwyrydd yn dal o dan y fan ... falle gawn ni gyfle bore fory. Mi ddylien ni gael ychydig o gwsg. Mi fydd y ddyfais yn fy neffro os bydd y cerbyd yn symud, meddai Marmeladov, gan syllu ar Peshkov. – Gyda llaw, rwyt ti bron â gwella ... felly rwy'n mynd yn ôl i'r bync gwaelod heno.

Dydd Gwener 17 Mehefin

48.

Roedd gan Les Welsh anferth o ben tost pan ddeffrôdd fore trannoeth. Straffaglodd allan o'i sach gysgu yn yr adlen, a gweld bod drws y garafán ar agor. Ond nid oedd Rhian nac Al yno. Cofiodd Les iddo gyfaddef i Al ei fod wedi dwyn darn o injan y camperfan VW y noson cynt. Roedd hefyd wedi cael gwared â'r unig dystiolaeth fod Al wedi paentio cartŵn anweddus ar ei garafán.

Ochneidiodd, gan feddwl bod Al a Rhian wedi penderfynu ei adael, ac nid oedd yn eu beio am wneud hynny. Roedd wedi dechrau clirio olion gloddesta'r noson cynt yn yr adlen pan gafodd sioc o weld Al a Rhian yn sefyll ger y fynedfa.

– Ro'n i'n meddwl eich bod wedi mynd ... meddai, cyn gweld Al yn wincio arno i'w atal rhag dweud mwy. Camodd hwnnw i mewn i'r adlen gyda thri choffi ar glud yn ei ddwylo. Roedd Rhian gam y tu ôl iddo.

– Brecwast, meddai Al, gan roi cwpanaid o goffi i Les.

– Ry'n ni wedi bod yn prynu coffi a *croissants* o siop y maes, ychwanegodd Rhian cyn camu i mewn i'r garafán.

Closiodd Les at Al.

– Ro'n i'n meddwl y byddet ti'n flin 'da fi ar ôl imi gyfaddef popeth neithiwr, sibrydodd.

Chwarddodd Al.

– Paid â bod yn dwp, Les. Rwyt ti wedi bod dan lawer o bwysau yn ystod y flwyddyn ddiwethaf … yr un peth â fi. Deall yn iawn. Mae'r ddau ohonon ni yn yr un cwch. Nawr 'te, oes gen ti gynllun ar gyfer fory?

– Awn ni am êm o olff? awgrymodd Les yn gellweirus, cyn i'r tri gychwyn ar y daith ddwy awr o Orléans i Poitiers.

49.

Cododd Delyth, Terry, Emyr a Manon yn blygeiniol fore trannoeth gyda'r bwriad o ddringo mynydd Puy de Dôme cyn mynd â d'Artagnan y ci at y milfeddyg ym mhentref St Nectaire i drin yr anaf ar ei goes.

– Mae'r golygfeydd yn ysblennydd. Ymhlith y gorau yn yr ardal. Ry'ch chi'n gweld Mont Blanc i'r dwyrain ac mae 'na olygfeydd trawiadol o'r Massif Central hyd at fynyddoedd Cantal i'r gorllewin, eglurodd Manon.

Derbyniodd Manon gynnig Emyr i'r pedwar, yn ogystal â'r cŵn, deithio yn yr Ace Capri 500 am fod mwy o le yn y cerbyd hwnnw. Cyrhaeddon nhw faes parcio'r Col de Ceyssat toc wedi hanner awr wedi saith y bore. Roedd y pedwar wedi penderfynu dringo'r 400 metr i gopa'r mynydd cyn yr haid o ymwelwyr fyddai'n cyrraedd erbyn canol y bore.

Yn ôl Manon, byddai'n cymryd awr a hanner iddynt gerdded i gopa'r mynydd ac yn ôl. Rhoesant Athos, Porthos ac Aramis ar dennyn a chychwyn ar y daith, gan benderfynu gadael d'Artagnan yn y camperfan oherwydd ei anaf.

– Mi fydd e'n ddigon hapus yno, meddai Manon gan arwain y gweddill at geg y llwybr at frig y mynydd.

Cafodd Semyon Smerdyakov Marmeladov ei ddihuno gan larwm am saith o'r gloch y bore hwnnw, pan ddechreuodd Emyr yrru'r Ace Capri 500 o La Ferme Belmondo.

– Dihuna! Maen nhw wedi dechrau symud, gwaeddodd, gan ysgwyd Alexei Maximovich Peshkov, oedd yn chwyrnu'n braf ar y bync uchaf.

Ugain munud ar ôl i Terry a'r gweddill ddechrau dringo'r mynydd roedd yr SUV du wedi'i barcio yng nghornel y maes parcio. Camodd Marmeladov allan o'r fan a cherdded yn araf at yr Ace Capri 500 cyn tynnu ei ysbienddrych o boced ei gôt a'i anelu at lethrau mynydd y Puy de Dôme. Gwenodd pan welodd fod Delyth, Terry, Emyr a Manon wedi dringo traean o'r llwybr at frig y mynydd yng nghwmni'r cŵn. Dychwelodd yn gyflym i'r SUV i ymuno â Peshkov.

– Gwylia a dysga, Alexei Maximovich Peshkov. Mi ddangosa i iti sut i archwilio'r fan 'ma'n iawn, meddai Marmeladov, gan wisgo pâr o fenig du a siarsio Peshkov i gadw llygad ar y pedwar cerddwr a'r cŵn rhag ofn iddyn nhw benderfynu dychwelyd yn gynnar.

Taniodd injan yr SUV cyn ei yrru ar draws y maes parcio a'i barcio ger yr Ace Capri 500. Byddai parcio'n agos i'r cerbyd arall yn ei alluogi i symud yn llechwraidd rhwng y ddau, rhag ofn i deithwyr eraill gyrraedd y maes parcio wrth iddo archwilio'r camperfan. Hefyd, mi fyddai'n golygu na fyddai'r SUV i'w weld petai un o'r cerddwyr yn edrych i lawr arnynt o'r mynydd.

Roedd Peshkov yn syllu ar y pedwar cerddwr a'r tri chi drwy'r ysbienddrych, gan ystyried tybed a oedd wedi camgymryd pan welodd bedwar ci y tu allan i La Ferme Belmondo y noson cynt.

Yn y cyfamser, camodd Marmeladov o'r SUV a gweld nad

oedd neb o gwmpas. Defnyddiodd yr un allwedd sgerbwd ag a ddefnyddiodd Peshkov i agor y fan ym mynwent Thiepval. Agorodd y drws a chamu i mewn gyda'r bwriad o gau'r drws y tu ôl iddo.

Ond ni chafodd gyfle i wneud hynny. Pan gododd ei ben gwelodd gi ffyrnig yr olwg yn syllu arno tua throedfedd i ffwrdd.

Doedd d'Artagnan ddim mewn hwyliau da y bore hwnnw ar ôl gweld Athos, Porthos ac Aramis yn mynd am dro gyda'i feistres a'i ffrindiau. Roedd hefyd mewn poen oherwydd yr anaf i'w goes. Felly pan welodd y dieithryn yn syllu arno, bachodd ar y cyfle i arllwys ei lid ar hwnnw.

Llwyddodd Marmeladov i amddiffyn ei wyneb gyda'i ddwylo rhag ymosodiad y ci, cyn i bwysau'r anifail ei wthio allan o'r fan ac ar y llawr rhwng y ddau gerbyd.

– Peshkov! Gwna rywbeth! gwaeddodd.

Nid oedd gan Peshkov unrhyw awydd i wynebu'r bwystfil, oedd erbyn hyn wedi llwyddo i rwygo un o fenig Marmeladov o'i law wrth i hwnnw geisio'n ofer i roi ei ddwylo o amgylch gwddf y ci. Tynnodd ddryll allan er mwyn saethu'r anifail, cyn cofio cyfarwyddiadau Boris 'y corryn' Petrovich i archwilio'r fan heb yn wybod i O'Shea ac Emyr Owen. Rhoddodd y dryll yn ôl yn ei boced cyn symud i sedd y gyrrwr, tanio'r injan a symud y cerbyd bum llath yn ôl. Neidiodd i ochr y teithiwr, agor y drws, ymestyn allan a thynnu Marmeladov gerfydd coler ei grys i fyny i'r cerbyd o afael d'Artagnan, oedd yn cnoi bysedd ei draed. Llwyddodd Peshkov i gau'r drws cyn neidio'n ôl i sedd y gyrrwr a gyrru'r SUV o'r maes parcio. Edrychodd ar Marmeladov.

– Fy nwylo ... fy nwylo prydferth, meddai Marmeladov yn dawel, gan ddal ei ddwylo o'i flaen a syllu arnyn nhw, yn ofni na fyddai'n gallu tagu unrhyw un byth eto, nac ychwaith ganu concerto piano rhif 21 Mozart ar y piano. Dechreuodd wylo wrth i'r SUV yrru i ffwrdd.

Dychwelodd Manon, Delyth, Terry ac Emyr i'r maes parcio awr yn ddiweddarach a gweld d'Artagnan yn eistedd yn ufudd ger yr Ace Capri 500.

– Sut lwyddodd e i ddod allan o'r camperfan? gofynnodd Manon, gan gofleidio'r ci wedi i hwnnw hercian tuag ati.

– Does gen i ddim syniad. Dwi'n siŵr imi gloi'r fan ... meddai Emyr yn ddryslyd.

– Falle nad oeddet ti wedi cau'r drws yn iawn, meddai Delyth.

– O wel, dim ots. Ddaeth dim drwg o'r peth, meddai Terry wrth i Athos, Porthos ac Aramis ymuno â'r pedwerydd *Musketeer* yn y fan. Ond roedd Terry wedi sylwi ar y smotiau o waed ar y llawr ger y fan, ac ar y faneg ddu wedi'i rhwygo oedd yn gorwedd o dan y cerbyd. Cododd y faneg yn slei cyn ymuno â'r gweddill yn y camperfan.

Gwyddai Terry y byddai'n rhaid iddo gael sgwrs gyda Delyth cyn gynted ag y câi gyfle i wneud hynny.

50.

Eisteddai Les Welsh yng nghwmni Al Edwards a Rhian James yng nghefn ystafell gynadledda Clwb Golff Poitiers, ymysg cant a hanner o aelodau'r British Re-enactment Association, a dau gant o aelodau'r gymdeithas Ffrengig, Association de Reconstitution de Sites de Combat Européene.

Cynrychiolai'r dynion, menywod a phlant hyn yr 11,000 aelod o fyddin y Brenin Jean II o Ffrainc a'r 6,000 aelod o fyddin Edward, y Tywysog Du, a frwydrodd ar faes y gad yn 1356. Roedd pawb wedi eu gwisgo'n anffurfiol ar gyfer y seremoni agoriadol ac wedi mwynhau bwyd bwffe a gwydraid o win yr un cyn i brif aelodau ARSE a BRA ddechrau ar eu hareithiau.

Roedd llywydd ARSE, Jean-Claude Chabrol, yng nghanol ei araith i groesawu John Gaunt a gweddill aelodau BRA i Ffrainc pan sleifiodd Les, Al a Rhian i mewn i gefn yr ystafell. Roedd Les eisoes wedi parcio'r Citroën Xsara Picasso a'r garafán ymysg ceir a charafanau aelodau byddin ARSE yn y caeau i'r chwith o'r clwb golff, cyn i'r tri ohonynt gofrestru ar gyfer digwyddiadau'r penwythnos yng nghyntedd y clwb. Bachodd Les ar y cyfle i'w gyflwyno'i hun i lywydd ARSE, Monsieur Chabrol, cyn cael sgwrs fer gyda'r Ffrancwr fyddai'n chwarae rôl y Brenin Jean II o Ffrainc drannoeth.

Ynghynt y diwrnod hwnnw roedd y tri wedi mynd am dro ar hyd y caeau lle bu farw dwy fil a hanner o filwyr Brenin Ffrainc yn 1356. Wrth iddynt gerdded yr hanner milltir lle'r oedd carafannau a cheir byddin John Gaunt wedi dechrau ymgynnull ar ochr arall y dyffryn, esboniodd Les bwysigrwydd tirwedd maes brwydr Poitiers.

Safodd Les yng nghwmni Al a Rhian ar ddarn o dir uchel gan syllu ar wersylloedd y ddwy fyddin i'r naill ochr a'r llall. O'u blaenau roedd y cwrs golff, yn llawn golffwyr yn teithio mewn bygis ar y prynhawn mwyn hwnnw o haf. Rhwng maes y frwydr a'r clwb golff roedd coedwig hanner milltir o hyd, sef coedwig Nouaillé.

Tynnodd Les ysbienddrych o'i sach gefn a syllu trwyddo ar faes gwersylla'r Saeson. Gwenodd pan welodd John Gaunt yn cerdded yn rhwysgfawr o flaen gweddill aelodau ei fyddin, wrth iddynt ymlwybro tuag at y clwb golff ar gyfer y seremoni agoriadol.

– Beth yw'r cynllun, Les? gofynnodd Al.

– Mi fyddwn ni'n dibynnu ar dy sgiliau di a Rhian, atebodd Les, gan droi i wylio'r golffwyr trwy'r ysbienddrych.

– Fi? gofynnodd Rhian.

– Sut? gofynnodd Al.

Trodd Les at y ddau a gwenu.

– *Camouflage*, meddai, gan droi ei ysbienddrych i'r dde ac amcangyfrif mai rhyw ugain llath yn unig o dir y clwb golff yr oedd ei garafán.

Ymunodd Les, Al a Rhian â gweddill aelodau'r ddwy fyddin yn ystafell gynadledda'r clwb golff awr yn ddiweddarach ar gyfer y seremoni agoriadol. Roedd Les yn gwisgo un o'r hanner cant o farfau ffug trwchus *à la* Joe Ledley roedd Al a Rhian wedi bwriadu'u gwerthu i ddilynwyr Cymru, fel na fyddai John Gaunt ac aelodau eraill BRA yn ei adnabod.

Gwenodd wên gyfrin wrth wylio llywydd ARSE, Jean-Claude Chabrol, yn gorffen ei araith agoriadol. Roedd y Ffrancwr wedi ufuddhau i ddymuniad Les i beidio â sôn am bresenoldeb Cymdeithas Adfer Cymru Hanesyddol fel rhan o'r araith. Cymeradwyodd y gynulleidfa ef yn wresog, cyn i John Gaunt gamu ar y llwyfan i ddechrau ar ei araith yntau.

Bu rhan gyntaf cynllun Les yn llwyddiant ysgubol yn ystod yr awr flaenorol. Roedd Les ac Al wedi cerdded i gefn y clwb golff lle'r oedd y bygis golff yn cael eu cadw. Bum munud yn ddiweddarach roedd Les wedi talu'n hael, am unwaith yn ei fywyd, gan lwgrwobrwyo un o'r staff er mwyn llogi bygi golff am y penwythnos. Gyrrodd y bygi trwy un o gatiau'r clwb golff a'i barcio y tu ôl i'w garafán. Yna, rhoddodd y tri ail ran y cynllun ar waith.

Bu John Gaunt wrthi'n traethu am chwarter awr, gan frolio am lwyddiant brawd hynaf ei gyndad, John of Gaunt, sef y Tywysog Du. Roedd cyfarpar cyfieithu ar gael, ac roedd ei angen ar rai o'r Ffrancwyr am na wnaeth John Gaunt unrhyw ymgais i yngan gair o Ffrangeg, er mai honno oedd iaith gyntaf y Tywysog Du. Sylwodd Les fod yr araith rwysgfawr wedi dechrau codi gwrychyn y Ffrancwyr yn y gynulleidfa. Roedd nifer ohonynt wedi dechrau sibrwd ymysg ei gilydd gan siglo'u pennau a chodi'u hysgwyddau.

– Dyw'r brych ddim wedi gwneud dim i hyrwyddo'r *entente cordiale* rhwng Lloegr a Ffrainc ... sy'n ein siwtio ni i'r dim, sibrydodd Les wrth Al a Rhian cyn codi o'i sedd. – Dewch 'mla'n. Mae ganddon ni dipyn o waith i'w wneud ar gyfer yfory.

51.

Ni chafodd Terry O'Shea gyfle i drafod ei bryderon gyda Delyth nes yr oedden nhw ar eu pennau'u hunain yng nghegin La

Ferme Belmondo yn hwyr y prynhawn hwnnw. Roedd Manon wedi derbyn cynnig Emyr i'w helpu i drwsio ffens yn un o'r caeau ger y ffermdy wedi i'r pedwar ddychwelyd o'r filfeddygfa, felly aeth Delyth a Terry ati i baratoi swper.

Roedd Delyth wedi dechrau paratoi'r *chou farci*, saig o fresych wedi'i stwffio â phorc a chig eidion, pan dynnodd Terry'r faneg ddu wedi'i rhwygo o boced ei drowsus. Esboniodd lle'r oedd wedi dod o hyd iddi, gan ychwanegu ei fod hefyd wedi gweld olion gwaed ar y llawr ger y camperfan.

Trodd Delyth i edrych ar d'Artagnan, oedd yn cysgu yn ei wely yng nghornel y gegin ar ôl cael ei drin gan y fet.

– Piti nad yw d'Artagnan yn gallu siarad, on'd ife, Terry? meddai.

– Ti'n iawn, Delyth, atebodd Terry. – Dwi'n meddwl bod rhywun wedi torri i mewn i'r fan heb wybod fod d'Artagnan yno.

– Wyt ti'n siŵr?

– Petai'r drws wedi bod ar agor ar hap a bod d'Artagnan wedi ymosod ar rywun, mi fydden ni naill ai wedi dod ar draws rhywun wedi'i glwyfo neu'i ladd, neu mi fyddai pwy bynnag yr ymosododd d'Artagnan arno wedi aros yno i gwyno neu alw'r *gendarmerie*. Hefyd, faint o bobl sy'n gwisgo menig du yng nghanol yr haf?

– Ond dwi ddim yn deall. Pam na fydden nhw'n dwyn y fan a gwneud yn siŵr bod yr arian yno?

– Mae'n amlwg nad yw'r rhai sy'n chwilio am yr arian am i Emyr a finne wybod eu bod nhw'n ceisio'i ddwyn.

– Ond ry'ch chi'n gwybod nawr ...

– Yn hollol.

Edrychodd Delyth i fyw llygaid Terry.

– Mae'n rhaid iti ddweud wrth Emyr.

Ochneidiodd Terry.

– Oes, dwi'n gwybod ... mi ddweda i wrtho ar ôl i Les drosglwyddo'r arian i ni brynhawn fory.

– Ond pam aros tan hynny?

– Oherwydd mai dim ond am Emyr a finne y bydd yn rhaid

imi boeni o hynny ymlaen. Fydda i ddim yn gorfod poeni amdanat ti a Les, atebodd Terry, gan benderfynu aros ar ei draed y noson honno i wylio'r Ace Capri 500 o gegin La Ferme Belmondo, rhag ofn i'r sawl oedd wedi ceisio torri i mewn i'r fan y bore hwnnw ddychwelyd i orffen y gwaith.

52.

Yn y cyfamser, roedd Manon Belmondo yn manteisio ar y cyfle i ddysgu mwy am Terry O'Shea wrth iddi drwsio'r ffens yng nghwmni Emyr Owen. Roedd Emyr eisoes wedi dweud wrth Manon fod Terry ac yntau wedi teithio i Ffrainc i wylio gemau Cymru yng nghystadleuaeth yr Ewros cyn cyfarfod â chyswllt busnes ewythr Emyr yn Toulouse y dydd Llun canlynol, ac wedi sôn am ei fwriad i sefydlu elusen ar gyfer plant amddifad.

Drwy ei holi trylwyr, darganfu Manon fod Terry wedi bod yn gweithio i ewythr a modryb Emyr am tua phum mlynedd, yn dilyn pymtheng mlynedd o wasanaeth yn Lleng Dramor Ffrainc.

– Dyw e ddim yn briod, yw e? gofynnodd Manon, oedd eisoes wedi sylwi nad oedd Terry'n gwisgo modrwy briodas.

Chwarddodd Emyr, gan gofio dawn Terry i swyno menywod.

– Na ... dwi ddim yn credu y byddai un fenyw yn ddigon i Terry O'Shea.

– Nag wyt ti wir? atebodd Manon, gan wenu iddi'i hun.

53.

Roedd hi'n tynnu at hanner nos. Eisteddai Marmeladov a Peshkov yn yr SUV yn gwylio ffermdy Belmondo o'u safle ar draws y dyffryn. Peshkov oedd yn dal yr ysbienddrych y tro hwn gan na allai Marmeladov agor ei ddwylo yn dilyn ymosodiad d'Artagnan.

– Be sy'n digwydd? gofynnodd Marmeladov yn ddiamynedd.

– Mae O'Shea yn dal i eistedd yn y ffenest yn syllu ar y fan, meddai Peshkov gan droi at Marmeladov. – Ro'n i'n gwybod y byddai'n dod o hyd i'r faneg ac yn gweld y gwaed ger y fan. Beth wnawn ni nawr?

– Mae'n siŵr y bydd O'Shea yn aros ar ei draed trwy'r nos. Well inni glwydo ac mi ffonia i'r bòs yn y bore, meddai Marmeladov.

54.

Roedd Terry O'Shea yn dal ar ddihun ddwy awr yn ddiweddarach, ac yn pendroni ynghylch pwy oedd yn ceisio dod o hyd i'r 200,000 Ewro, a pham nad oeddent wedi dwyn y camperfan. Ond teimlai'n hyderus am fod y dryll a gafodd gan ei *comrade*, Alain Giresse, yn Reims, ym mhoced ei drowsus. Clywodd sŵn traed yn dod i lawr y grisiau. Trodd a gweld Manon Belmondo yn sefyll ger drws y gegin. Llamodd calon Terry wrth i'r ddau ddal llygaid ei gilydd am hanner eiliad, cyn i Manon eistedd wrth ei ymyl ger y ffenest.

– Methu cysgu, meddai Terry yn Ffrangeg, gan geisio osgoi edrych ar Manon.

– Rhywbeth yn dy boeni, Terry O'Shea? sibrydodd Manon.

– Na ...

– Rwy'n gweld tristwch yn dy lygaid ... tristwch mawr ... ai menyw yw'r achos? Neu fenywod?

Edrychodd Terry'n gyflym ar Manon cyn edrych i ffwrdd yn syth.

– Ro'n i'n agos at rywun flynyddoedd yn ôl ... ond mi ddigwyddodd rhywbeth ...

– ... rhywbeth a wnaeth iti redeg i ffwrdd ac ymuno â'r Legion ... i anghofio?

Amneidiodd Terry i gadarnhau ei bod yn llygad ei lle. Roedd ei galon wedi bod ar glo cyhyd, ac roedd rhywbeth am y fenyw hon a wnâi iddo ysu i'w datgloi, a dweud popeth wrthi. Ond gwyddai na allai wneud hynny.

– ... ond mi fethais i ag anghofio ... a phan es i i chwilio amdani roedd hi'n rhy hwyr.

– Ac rwyt ti wedi ceisio anghofio drwy gwrso pob menyw dan haul ers hynny? awgrymodd Manon.

Amneidiodd Terry unwaith eto.

– Felly pam nad wyt ti wedi ceisio fy hudo i? Ydw i mor hyll â hynny? gofynnodd Manon, gan syllu drwy'r ffenest ar y lleuad lawn. Cododd ar ei thraed a gafael yn llaw Terry i'w dynnu yntau ar ei draed. – Dwyt ti ddim wedi cyfarfod â'r fenyw iawn, Terry O'Shea ... hyd yma, meddai, gan dynnu Terry'n dynn ati. – Ooh, Monsieur O'Shea. Ai dryll sydd yn eich poced neu ydych chi'n hapus i 'ngweld i? gofynnodd yn ddireidus.

Chwarddodd Terry. Ni allai gofio'r tro diwethaf iddo gynhyrfu cymaint yng nghwmni menyw, meddyliodd, wrth i Manon ei dywys i fyny'r grisiau i'w hystafell wely.

Dydd Sadwrn 18 Mehefin

55.

Eisteddai Les Welsh gydag Al a Rhian yn y bygi golff oedd wedi'i barcio ar gyrion coedwig Nouaillé. Gwyliai'r tri fyddin y Tywysog Du yn paratoi ar gyfer y frwydr a fyddai'n dechrau ymhen rhai munudau. Yr ochr arall i faes y gad roedd tua dwy fil o bobl wedi ymgasglu i wylio'r ornest.

Roedd Les, Rhian ac Al wedi cychwyn ar y daith o faes gwersylla byddin Ffrainc yn y bygi golff awr ynghynt, gan deithio trwy'r hanner milltir o goedwig oedd rhwng y clwb golff a maes y gad. Symudodd y bygi'n araf drwy'r coed heb i neb ei weld cyn dod i stop gyferbyn â rhengoedd y Saeson.

Cododd Les ei ysbienddrych a syllu trwyddo ar y cant a

hanner o filwyr mewn gwisgoedd canoloesol, gan gynnwys y *chain mail, jupons, sallets, burgonets, barbutes, chausses* a *haubergeons* oedd yn amddiffyn pob rhan o'u cyrff. Roedd yr ugain o geffylau a deithiodd i Ffrainc gyda byddin John Gaunt hefyd wedi'u gwisgo yn arfwisg yr oes, gan gynnwys ceffyl y Tywysog Du ei hun.

Eisteddai John Gaunt ar gefn ei geffyl ar dir uchel ychydig y tu ôl i weddill ei fyddin. Eisteddai dau farchog arall un bob ochr i'r Tywysog Du, sef Iarll Warwick ac Iarll Salisbury.

– Edrychwch arnyn nhw. Tywysog Cymru a'i ddau gi bach, poerodd Les gan syllu ar John Gaunt, Cameron Osborne a Neil St John-Havers yn eistedd ar gefn eu ceffylau.

Serch hynny, roedd llygaid Les yn pefrio o weld ysblander y milwyr yn eu gwisgoedd gogoneddus. Roedd yntau hefyd yn ei wisg frwydro, oedd yn cynnwys helmed, dwyfronneg, menig dur a *jupon*. Roedd wedi creu pob un o'r darnau hyn ei hunan yn ystod gwersi rhydd yn yr ysgol dros y blynyddoedd, gan gynnwys ei *pièce de résistance*, sef cleddyf anferth chwe throedfedd o hyd.

Roedd Al wedi cael benthyg dillad y cyfnod o wardrob ganoloesol sylweddol Les, yn cynnwys tabard gydag arfbais Owain Lawgoch arno, yn ogystal â dwbled a hosanau coch trawiadol. Roedd Les hefyd wedi dod â gwisg ganoloesol Delyth gydag ef i Ffrainc rhag ofn y byddai ei wraig yn cytuno i gymryd rhan yn y dathliadau, a honno roedd Rhian yn ei gwisgo.

– Sut yn y byd y methodd swyddogion y tollau yn St Malo â dod o hyd i hwnna, Les? – gofynnodd Al gan syllu ar y cleddyf anferth o'i flaen. Crynodd drwyddo, er bod min y cleddyf wedi'i amgylchynu â haen o rwber.

– Mi adeiladais i adran gudd ar gyfer yr holl ddeunydd canoloesol yng ngwaelod cwpwrdd y garafán dros y gaeaf, fel na fyddai Delyth yn gwybod 'mod i'n cynllunio ar gyfer y frwydr 'ma. Diolch byth nad yw cŵn Adran y Tollau'n gallu arogli haearn oer, meddai Les, gan godi ei ysbienddrych unwaith eto ac edrych ar y ddwy fyddin gydag edmygedd.

– Mae'n rhaid imi gyfaddef fod John Gont wedi gwneud gwaith da. Mae ei fyddin yn edrych yn ysblennydd, ychwanegodd, wrth i ddrymwyr byddin Ffrainc ddechrau ar y ddefod arferol ar gychwyn brwydr ganoloesol.

– Ych-a-fi, oedd unig ymateb Rhian.

– Be ti'n feddwl 'ych-a-fi'? gofynnodd Les yn syfrdan.

– Rwyt *ti*'n gweld ceffylau urddasol a gwrol ryfelwyr, Les. Ond dwi'n cofio athro hanes yn dweud wrthon ni fod y rhan fwyaf o'r ceffylau mewn brwydrau o'r fath yn torri'u coesau mewn rhychau oedd wedi'u torri gan y gelyn ... heb sôn am y cŵn gwyllt yn bwyta'r cyrff celain, a'r taeogion yn dwyn o'r cyrff ar ôl y frwydr. Gwaed ymhobman. Y baneri llachar yn gorwedd yn y llwch, a'r menywod a'r plant yn wylo. Dyna beth *dwi*'n ei weld, Les, meddai Rhian, â deigryn yn ei llygad.

– Rwy'n gwybod pa fath o athro hanes rwyt ti'n sôn amdano, Rhian. Gwallt ymhobman. Patshys lledr ar ddau benelin ei siaced ... y math o athro sy'n dweud 'galwch fi'n Geoff yn lle syr', meddai Les.

– Na. 'Dadi' ro'n i'n ei alw, fel mae'n digwydd, Les ... a pha ots os oedd e'n gwisgo patshys lledr ar ei siaced, atebodd Rhian yn amddiffynnol.

Gyda hynny, clywyd sain utgyrn.

– Dyma ni ... *kick off* ... meddai Les, gan weld milwyr Ffrainc yn rhuthro tuag at ochr chwith y Saeson.

– Be sy'n digwydd, Les? gofynnodd Al. Awr yn ddiweddarach, wrth i Les gynnig sylwebaeth ddi-baid ar gwrs y frwydr, roedd yn difaru'i enaid iddo ofyn y cwestiwn.

– Awtsh! Fydd hwnna ddim yn gallu golchi'i ben-ôl yn y *bidet* am bythefnos ar ôl yr ergyd 'na! rhyfeddodd Les, gan barhau â'r sylwebaeth nes i ddigwyddiad tyngedfennol yng nghwrs y frwydr ddechrau, sef ymosodiad catrawd Captal de Buch ar ran y Saeson, a chwalodd asgell chwith byddin y Brenin Jean II.

– Reit. Dyma ni. Mae Captal de Buch wedi dechrau ymosod ar ran y Saeson ... meddai Les, gan weld Iarll Warwick ac Iarll

Salisbury yn arwain eu catrodau hwythau i gefnogi catrawd Captal de Buch.

– Un dyn bach ar ôl, ychwanegodd, gan weld fod John Gaunt, fel y Tywysog Du yn 1356, wedi aros tan y funud olaf i ymuno â gweddill ei fyddin. Dyma gyfle Les i roi rhan olaf ei gynllun ar waith wrth i John Gaunt eistedd ar gefn ei geffyl ar ei ben ei hun, yn gwylio gweddill y milwyr yn ail-greu diweddglo'r frwydr.

Roedd John Gaunt ei hun ar ben ei ddigon. Dyma uchafbwynt ei yrfa fel llywydd y BRA. Roedd dagrau yn llenwi'i lygaid wrth i'r Saeson ddechrau ennill y frwydr. O ganlyniad, ni sylwodd ar y bygi, oedd wedi'i orchuddio â chynfas cuddliw brown a gwyrdd, yn teithio'n araf ar hyd ymyl y goedwig.

Roedd Les, Al a Rhian wedi codi am chwech y bore hwnnw i orffen y gwaith o greu'r *camouflage* ar gyfer y bygi golff, cyn i Les amlinellu ei gynllun. Roedd calonnau Al a Rhian yn curo'n gyflym, a'r amser wedi dod bellach i roi'r cynllun hwnnw ar waith.

Llywiodd Al y bygi golff allan o'r goedwig yn araf cyn gyrru'r cerbyd yn ei flaen.

– Arafa, Al ... arafa, neu mi fydd e'n ein gweld ni ... damio! Stopia! meddai Les, oedd yn dal i wylio John Gaunt yn eistedd ar gefn ei geffyl ganllath i ffwrdd trwy dwll yn y cynfas.

Yn wir, roedd rhywbeth wedi dal llygad John Gaunt wrth iddo wylio'r frwydr. Edrychodd i'r chwith, gan feddwl iddo weld coeden yn symud. Ond gwyddai mai ei lygaid oedd yn ei dwyllo a throdd yn ôl eto i wylio'r brwydro.

– O'r gorau ... rwy'n credu ein bod ni'n iawn ... gyrra mla'n yn araf ... araf iawn, cyfarwyddodd Les wrth i Al lywio'r bygi y tu ôl i John Gaunt, ac allan o olwg y ddwy fil o bobl oedd yn gwylio'r frwydr ganllath o'u blaenau.

– Nawr Al! Clou ... clou ... clou ... troed i'r llawr ... pincia hi! gwaeddodd Les. Cynyddodd y bygi golff ei gyflymdra, o filltir yr awr i bum milltir yr awr, ac ymhen hanner munud roedd wedi troi mewn hanner cylch gan ddod i stop ychydig lathenni y tu ôl i John Gaunt a'i geffyl.

Camodd Les Welsh allan o'r bygi a cherdded tuag at John Gaunt.

– Helô, Mr Gont, meddai, gan foesymgrymu o flaen y Tywysog Du.

– Blydi hel! Welsh! Beth y'ch *chi*'n wneud 'ma? gwaeddodd John Gaunt yn ei Saesneg crand, gan gamu oddi ar ei geffyl a disgyn i'r llawr yn drwsgwl.

– Nid Welsh yw'r enw, Gont ... ond Lawgoch ... Owain Lawgoch; ac rwy'n eich cipio chi ... Edward, Tywysog Cymru ... ar ran y Brenin Jean yr Ail o Ffrainc.

– Beth? Ond ry'ch chi wedi'ch diarddel o'r BRA.

– Ydw, ond rwy bellach yn aelod o ARSE ... ac mae gen i bob hawl i fod yma am fy mod i'n ail-greu rhan Owain Lawgoch yn y frwydr ... felly rwy'n eich cipio chi.

– Chi a pha fyddin, Welsh? gofynnodd John Gaunt yn ei dymer, heb sylwi bod Al a Rhian wedi ymuno â'r ddau wrth ochr y ceffyl.

– Byddin Cymdeithas Adfer Cymru Hanesyddol ... Byddin CACHwyr Cymru, Mistar Gont, meddai Les wrth i Al a Rhian afael ym mreichiau John Gaunt, a fethodd eu hatal oherwydd ei arfwisg drom, a'i dywys at y bygi golff.

Ymhen hanner munud roedd Al wedi gyrru'r bygi yn ôl i goedwig Nouiallé ac ymhen pum munud arall roeddent wedi cyrraedd pen draw'r goedwig, lle'r oedd rhengoedd Ffrainc yn gwersylla. Camodd Al a Les allan o'r bygi yng nghwmni John Gaunt, oedd yn dal i daranu a bygwth diarddel Les o bob cymdeithas ail-greu brwydrau yn y byd.

Camodd Rhian i sedd y gyrrwr a gyrru'r bygi yn ôl i'r clwb golff. Llusgodd Les ac Al Dywysog Cymru gerfydd ei goler, neu a bod yn fanwl gywir, ei *gorget*.

– *Mes amis*! *Mes amis*! Ry'n ni wedi ennill. Ry'n ni wedi ennill! gwaeddodd Les, gan dynnu sylw hen ŵr oedd yn gyfrifol am warchod yr *Oriflamme*, baner Ffrainc.

Edrychodd yr hen ŵr arno'n ddryslyd.

– Be sy'n digwydd? gofynnodd milwr arall, oedd wedi bod

am bisiad yn un o'r ciwbiclau yn y maes gwersylla cyn ailymuno â'r frwydr.

Yn ffodus, roedd hwnnw'n deall Saesneg. Gwenodd pan sylweddolodd fod Yvain de Galles wedi cipio'r Tywysog Du.

– *Sacré bleu!* gwaeddodd y dyn mewn gorfoledd, gan adnabod y Sais rhwysgfawr oedd wedi pardduo enw da Ffrainc yn ei araith y noson cynt. Dechreuodd y milwr Ffrengig redeg nerth ei draed i ganol y frwydr gan weiddi,

– *Victoire! Victoire!*

Ddwy funud yn ddiweddarach roedd llywydd ARSE, Jean-Claude Chabrol, wedi ymuno â Les, Al, John Gaunt a'r hen ŵr o dan yr *Oriflamme.*

– Be sydd wedi digwydd? gofynnodd y Brenin Jean yr Ail o Ffrainc, gan weld fod y Tywysog Du ar ei bengliniau o flaen Owain Lawgoch.

– Mae hyn yn hollol anfaddeuol ... mae'r gwallgofddyn 'ma wedi fy herwgipio i a'm tywys i'ch rhengoedd chi mewn bygi golff ... sydd yn hollol anghyfreithlon o dan Reol 7.6b Rheolau Rhyngwladol Ail-greu Brwydrau 1965 ... cwynodd John Gaunt.

– Ydy hyn yn wir, Monsieur Welsh? gofynnodd Jean-Claude Chabrol, gan droi at Les ac Al.

– Ydych chi'n gweld bygi golff? gofynnodd Les, gan droi at yr hen ŵr oedd yn dal i afael ag un llaw ym maner yr *Oriflamme.* – Gofynnwch i hwn, ychwanegodd.

– Welsoch chi fygi golff? gofynnodd Monsieur Chabrol i'r hen ŵr yn Ffrangeg.

– Na ... naddo, ar fy llw ... naddo, meddai'r hen ŵr.

– Dyna ni. Rwy'n credu fod Monsieur Gont wedi dala'r haul, Monsieur Chabrol, meddai Les, cyn i John Gaunt dorri ar ei draws.

– ... ac yn ail, mae Welsh wedi torri rheol 1.1a Rheolau Rhyngwladol Ail-greu Brwydrau 1965, sef y rheol aur: 'nid oes hawl i newid trywydd unrhyw frwydr' ...

– Digon gwir, Mistar Gont ... yn llygad eich lle, Mistar Gont, meddai Les gan dynnu llyfryn allan o'i boced. – ... ond os ga i ddyfynnu rheol 1.35b o Gyfansoddiad ARSE 1978 ... maddeuwch i mi am y cyfieithiad gwael ... 'Mae ARSE yn cwmpasu grwpiau ail-greu a grwpiau combat Ffrainc ...' sef y grwpiau hynny sy'n ail-greu brwydrau gyda'r posibilrwydd o newid trywydd y frwydr. Ydw i'n gywir, Monsieur Chabrol?

– Ry'ch chi yn llygad eich lle, Monsieur Welsh.

– Diolch. Felly mae canlyniad y frwydr hon yn dibynnu ar un ffaith ac un ffaith yn unig, sef a gytunodd BRA ac ARSE mai brwydr ail-greu yn unig oedd y frwydr hon.

– Wel, do ... ar dafod leferydd, meddai John Gaunt.

– Ond a oes gennych chi dystiolaeth ar ffurf e-bost neu ar bapur? gofynnodd Les, oedd yn gwybod yr ateb cyn i John Gaunt yngan gair, am fod Les wedi cadarnhau'r ffaith honno gyda Jean-Claude Chabrol cyn iddo ymuno ag ARSE y gaeaf cynt.

– Wel, na ... ond ry'n ni'n wŷr bonheddig. Mae gair Sais a Ffrancwr yn ddigon ... cofiwch yr *entente cordiale*, Monsieur Chabrol, cofiwch yr *entente cordiale* ... erfyniodd John Gaunt.

Syllodd Jean-Claude Chabrol ar y Sais rhwysgfawr, gan feddwl am yr holl Saeson rhwysgfawr oedd wedi pardduo enw Ffrainc dros y canrifoedd. Trodd at Les Welsh.

– Pa bris ddyliwn i ei ofyn am yr herwgipiad, Yvain de Galles?

– Yr un pris ag y gofynnodd y Tywysog Du amdano am eich rhyddid chi, Frenin Jean. Tair miliwn Ffranc.

– ... neu ddau ddiod yr un i fy milwyr yn ystod y wledd heno, efallai? Beth y'ch chi'n feddwl, Dywysog Edward?

– Byth! meddai John Gaunt, gan boeri ar y llawr ger traed Brenin Ffrainc.

Erbyn hyn roedd mwy o aelodau'r byddinoedd wedi ymgynnull i wrando ar y trafodaethau.

– Mae'n flin gen i, fy uwch-arglwydd ... rwy'n credu ei bod hi'n bryd i mi adael, meddai Yvain de Galles.

– Wrth gwrs. Pob bendith arnoch chi, Yvain de Galles. Bydd Ffrainc wastad yn ddyledus i chi.

– Diolch, meddai Les, gan gerdded i ffwrdd yn urddasol yng nghwmni Al.

– Mae fy ngwaith fan hyn ar ben, Al, datganodd Les wrth iddyn nhw gerdded yn ôl at y garafán i ymuno â Rhian, a oedd eisoes wedi dechrau ar y gwaith o gysylltu'r garafán i'r Citroën Xsara Picasso. Roedd Les eisoes wedi trefnu eu bod yn teithio i faes gwersylla yr ochr arall i Poitiers y noson honno, rhag ofn i John Gaunt a'r Saeson geisio dial arno petai ei gynllun i ennill y frwydr dros Ffrainc yn llwyddo.

Roedd y tri wedi bod yn teithio ar hyd yr A10 am ddeng munud pan welson nhw bum car heddlu yn teithio i'r cyfeiriad arall.

– Damwain car? gofynnodd Rhian.

– O bosib, meddai Les.

Ond roedd yr heddlu ar eu ffordd i faes brwydr Poitiers, 18 Mehefin 2016. Roedd y trafodaethau wedi mynd o ddrwg i waeth ar ôl i Les gael pardwn gan Frenin Ffrainc. Dechreuodd John Gaunt wthio Jean-Claude Chabrol, cyn i hwnnw ddyrnu'r Tywysog Du yn ei wyneb. Ymatebodd Cameron Osborne drwy gicio Monsieur Chabrol yn ei geilliau, cyn i hwnnw sylweddoli bod rhywun wrthi'n cnoi ei glust yn ffyrnig. Ymhen munudau daeth geiriau Rhian James ynghynt y prynhawn hwnnw yn realiti unwaith eto. Roedd gwaed ymhobman, y baneri llachar yn gorwedd yn y llwch, ac roedd menywod a phlant yn wylo. Cafodd saith deg wyth o aelodau byddinoedd ffug Ffrainc a Lloegr eu harestio am dorri'r heddwch ac am ymosodiadau di-ri.

Roedd dial Les Welsh yn gyflawn.

56.

Roedd Delyth Welsh yn benwan pan sylweddolodd nad oedd Les yn bwriadu cwrdd â hi yng nghanol Clermont-Ferrand y prynhawn hwnnw. Roedd hi wedi sefyll yn amyneddgar yng nghanol prif sgwâr y ddinas am ddwy awr, gan geisio ffonio'i gŵr droeon. Roedd hi wedi darbwyllo Terry i adael iddi gwrdd â Les ar ei phen ei hun, rhag ofn ei fod wedi dweud wrth yr heddlu am yr herwgipio. Ond nid oedd unrhyw olwg o Les na'r un *gendarme*.

Brasgamodd Delyth tuag at yr Ace Capri 500 lle'r oedd Terry, Emyr a Manon yn eistedd. Erbyn i'r cloc ar dŵr y sgwâr seinio bum gwaith, sylweddolodd fod ei gŵr wedi penderfynu ei hanwybyddu, gan gymryd rhan ym mrwydr Poitiers y prynhawn hwnnw. Ond wrth iddi gyrraedd y fan, meddyliodd Delyth am reswm arall dros absenoldeb Les.

– Falle bod pwy bynnag sydd wedi bod yn chwilio am yr arian yn y camperfan wedi darganfod bod yr arian gan Les, meddai wrth Terry heb feddwl, ar ôl iddi ymuno â'r gweddill yn y fan.

– Pa arian? gofynnodd Manon.

– Pa bobl? gofynnodd Emyr.

Caeodd Terry ei lygaid am ennyd a rhegodd Delyth yn dawel wrth iddi sylweddoli ei bod wedi gadael y gath o'r cwd.

Bu'n rhaid i Terry esbonio i Manon pam fod Emyr ac yntau wedi teithio yng nghwmni Delyth i gartref Manon yn y Massif Central, gan osgoi dweud bod yr arian ar gyfer cynllun i fewnforio cafiâr Beluga yn anghyfreithlon i Brydain.

– Doedden ni ddim am ddod gyda Delyth ond mi gawsom ein herwgipio, meddai Emyr gan edrych yn gyhuddgar ar Delyth.

– Ond dwi'n hapus ei bod wedi gwneud hynny, meddai Terry'n dawel, gan edrych yn dyner ar Manon, oedd wedi ei flino'n lân y noson cynt.

Winciodd honno'n gyfrin arno a maddau iddo'n syth.

– Pwy sydd wedi bod yn chwilio am yr arian, Terry? gofynnodd Emyr.

Esboniodd Terry iddo ddarganfod y faneg y tu allan i'r fan y diwrnod cynt, oedd yn awgrymu bod rhywun yn gwybod bod Emyr wedi dod i Ffrainc gyda 200,000 Ewro mewn arian parod. Ychwanegodd ei fod, erbyn hyn, yn credu i'r Slofaciaid geisio dwyn yr arian yn Bordeaux.

– Ond sut fydden nhw'n gwybod bod yr arian yn y tegan draig goch? gofynnodd Emyr.

– Mae'n bosib bod rhywun yn tapio ffôn Steffan, atebodd Terry, gan benderfynu peidio â chynnig yr esboniad arall, sef mai ewythr Emyr oedd y tu ôl i'r cynllun i ddwyn yr arian. Suddodd calon Emyr, gan gofio iddo ffonio'i ewythr yn Rochefort a sôn am guddfan yr arian.

Trodd Terry at Delyth i geisio'i chysuro.

– Dwi'n amau'n fawr a yw'r rhai sy'n chwilio am yr arian yn gwybod ei fod yn nwylo Les.

– Ond alli di ddim bod yn siŵr o hynny, Terry.

– Na, ond dwi'n ffyddiog na fydd Les yn dioddef unrhyw niwed, atebodd Terry'n dawel, gan weld bod Delyth yn meddwl yn ddwys am rywbeth.

– Nid gan unrhyw un arall, efallai. Fy swyddogaeth *i* fydd torri ceilliau'r diawl bant, meddai Delyth, gan ychwanegu, – Mae'n bosib bod Les wedi cymryd rhan mewn ailgread o frwydr hanesyddol y pnawn 'ma ... fyddai'n golygu ei fod wedi'i wisgo fel milwr canoloesol ... gwisg heb bocedi ... fyddai'n golygu nad yw ei ffôn 'da fe. Felly mi ffonia i fe eto heno pan fydd y frwydr ar ben.

– Syniad da, cytunodd Terry, cyn troi at Emyr.

– Dwi'n credu y dylet ti ffonio Steffan a dweud wrtho ... mewn ffordd sydd ddim yn rhy amlwg ... fod yr arian wedi'i guddio ym mherfedd y fan. Mi fydd hynny'n gorfodi pwy bynnag sy'n tapio'r ffôn i geisio dwyn y fan.

– Iawn, cytunodd Emyr gan dynnu ei ffôn o'i boced.

– Dim nawr, Emyr. Bydd yn rhaid inni wylio'r fan drwy'r amser er mwyn cael gwybod pwy sydd am ddwyn yr arian.

Trodd Terry i edrych ar Manon, a oedd wedi archebu bwrdd mewn bwyty ym mhentref St Nectaire nid nepell o La Ferme Belmondo am saith y noson honno.

– Does dim byd arall allwn ni ei wneud ar hyn o bryd. Cystal inni fwynhau pryd o fwyd gyda'n gilydd heno, meddai.

– Dim ond gobeithio nad hwn fydd ein swper olaf, mwmialodd Emyr o dan ei wynt.

57

Eisteddai Les Welsh yn hunanfodlon y tu allan i'w garafán ym maes gwersylla Toujours Poitiers. Roedd Al a Rhian wrthi'n paratoi swper. *Kebabs* llysieuol eto.

Cymerodd Les lymaid o'i Château Mortagne-sur-Gironde wrth iddo hel meddyliau am ddigwyddiadau'r diwrnod. Roedd ail-fyw'r frwydr yn fwynhad pur iddo. Teimlai ei fod wedi rhagori ar Owain Lawgoch, am nad oedd hyd yn oed y Mab Darogan ei hun wedi newid trywydd y frwydr yn 1356.

Yn wir, yn ôl un o haneswyr y cyfnod, Jean Froissart, bu Owain yn rhan o'r frwydr yng nghwmni Ieuan Wyn, y *Poursuivant d'Amour*, heb ennill unrhyw anrhydedd. Wedi dweud hynny, meddyliodd Les, doedd Lawgoch ddim yn berchen ar fygi golff, ac nid oedd wedi cael pum mlynedd ar hugain o brofiad o frwydro yn erbyn y gelyn bryd hynny.

Teimlai Les ei fod, o'r diwedd, wedi adennill ei hunan-barch trwy ddial ar John Gaunt a sefydliad BRA. Byddai Delyth yn falch ohono pan fyddai'n dweud yr hanes wrthi, meddyliodd, cyn sylweddoli nad oedd wedi meddwl am ei wraig ers nos Iau.

Suddodd ei galon wrth sylweddoli y byddai Delyth yn anhapus iawn a dweud y lleiaf, a chofiodd ei bod yn ei ddisgwyl yn Clermont-Ferrand y prynhawn hwnnw.

Cododd o'i sedd a chamu i mewn i'r garafán i nôl ei ffôn. Synnodd pan welodd fod Delyth wedi ceisio'i alw 23 o weithiau. Gwyddai Les y byddai'n rhaid iddo'i ffonio i esbonio pam nad oedd wedi mynd yno i gwrdd â hi a dechreuodd chwysu, oherwydd gwyddai y byddai'r alwad yn gwneud tolc mawr yn yr ugain Ewro o gredyd oedd ganddo ar y ffôn.

Ond roedd hwn yn ddiwrnod gorfoleddus, felly wfft i'r gost. Roedd Les ar fin gwneud yr alwad pan ganodd y ffôn yn ei law.

– Ble wyt ti, Les? Ddwedes i wrthot ti am fod yn Clermont-Ferrand am dri o'r gloch. Les ... Les? Wyt ti 'na?

Bu tawelwch am ennyd wrth i Les siglo'i ben. Roedd y signal yn wael ac ni allai glywed Delyth yn glir. Penderfynodd mai'r peth gorau i'w wneud oedd rhoi Delyth yn ei lle yn hytrach nag ymddiheuro.

– Nawr 'te, Del. Mae'n amser iti roi'r gorau i'r nonsens 'ma o honni dy fod ti wedi cael dy herwgipio. Rwy'n gwybod dy fod ti'n aros gyda dy ffrind Manon ger Clermont-Ferrand ...

Er bod y signal yn wael, clywodd Delyth ddigon i ddeall fod Les yn meddwl mai nonsens oedd ei honiad ei bod wedi cael ei herwgipio.

– Ond Les ... wyt ti wedi edrych yn y tegan draig goch ar waelod y cwpwrdd dillad?

– Del. Anghofia am y tegan. Dyw'r tegan ddim yn bwysig. Digon yw digon, Delyth. Un cwestiwn. Ble mae'r herwgipwyr? gofynnodd Les, cyn diffodd y ffôn yn hyderus, gan feddwl y gallai ei safiad cadarn yn erbyn ei wraig fod yn bwysicach na'i fuddugoliaeth yn erbyn y Saeson yn y pen draw.

Ddau gan milltir i ffwrdd, safai Delyth yn gegagored, yn syllu ar ei ffôn.

– Ydy Les yn ddiogel? gofynnodd Terry.

Roedd Delyth, Terry, Manon ac Emyr yn sefyll y tu allan i'r bwyty ym mhentref St Nectaire, a'r mynyddoedd o'u hamgylch oedd yn gyfrifol am y signal ffôn gwael.

– Ydy'r arian yn ddiogel? Beth ddwedodd e? gofynnodd Emyr yn eiddgar.

– Wyt ti'n iawn, Delyth? gofynnodd Manon.

– Dyw e ddim yn credu 'mod i wedi fy herwgipio ... mi ofynnodd e ble roedd yr herwgipwyr ...

Roedd Emyr wedi cael digon. Penderfynodd ei bod yn hen bryd iddo gymryd yr awenau gan fod cynllun Delyth wedi methu'n llwyr.

– Ffoniwch e 'to, a rhowch y ffôn i mi. Mi lwydda i i'w gael e i ddod 'ma, meddai.

Roedd Les ac Al wrthi'n gosod y bwrdd yn yr adlen ar gyfer swper pan ganodd y ffôn. Rholiodd Les ei lygaid cyn ei godi oddi ar y bwrdd.

– Gwrandewch yn astud, meddai llais anghyfarwydd, yn Gymraeg.

– Pwy sy 'na? gofynnodd Les. – Mae'r signal yn wan ...

– Emyr, atebodd Emyr. Griddfanodd Terry, Delyth a Manon wrth i Emyr wneud ei gamgymeriad sylfaenol cyntaf.

– Emyr?

Oedodd Emyr am eiliad cyn cael syniad.

– Yr Emir, atebodd, yn acen rhywun o'r Dwyrain Canol, gan geisio codi ofn ar Les. – Mae'r arian gennych chi. Mae'r llwyth gennym ni. Mae'n ddiogel ... am nawr, meddai Emyr yn y llais rhyfedd, gan wincio'n hyderus ar y tri arall.

– Beth? gofynnodd Les, oedd ddim ond wedi clywed y geiriau 'arian', 'llwyth' a 'diogel'.

– Ry'n ni am gael yr arian sydd yn y tegan draig goch.

Clywodd Les y geiriau 'arian' a 'tegan', a chofiodd am honiad Delyth bod 200,000 Ewro yn y ddraig goch oedd yng ngwaelod y cwpwrdd dillad.

– Be sy'n bod? gofynnodd Al, wrth i Les roi'r ffôn iddo.

– Siarada gyda nhw am eiliad ... rwy'n credu bod rhywun wedi herwgipio Del, meddai Les, gan ruthro i'r garafán i chwilio am y tegan.

– Helô ... Helô ... pwy sy 'na? gofynnodd Al yn ddryslyd.

– Yr Emir. Pwy wyt ti? gofynnodd y llais tramor rhyfedd.

– Al.

– Gwranda, Al. Mae hyn yn greisis ...

– Beth wyt ti am ...?

– Al. Cau dy geg a gwranda ... tyrd â'r arian i Gât A, Stadiwm Toulouse am saith o'r gloch nos Lun ... lle mae Cymru'n chwarae Rwsia. Deall? meddai Emyr.

– Ble? gofynnodd Al, oedd wedi drysu mwy am fod Rhian yn galw arno fod ei fwyd yn barod. – Dweda hynna eto. Dyw'r signal ddim yn gryf iawn a dwi ddim am gam-glywed.

– Al ... *Kebab*! galwodd Rhian, wrth i Les ddychwelyd gyda'r tegan yn ei law.

Rhwygodd fola'r ddraig a gweld ei bod yn llawn papurau Ewro.

– Mam bach! Roedd hi'n dweud y gwir, meddai'n dawel.

– Al! *Kebab*! gwaeddodd Rhian, yn uwch y tro hwn.

– Tyrd â'r 200,000 Ewro i Gât A, Stadiwm Toulouse am saith o'r gloch nos Lun, meddai Emyr eto.

– Gât A, Stadiwm Toulouse, saith o'r gloch nos Lun, ailadroddodd Al, cyn i Les sibrwd yn ei glust.

– Gofynna am Del, Al.

– Al! *Kebab*! gwaeddodd Rhian eto, gan ddechrau colli amynedd erbyn hyn.

– Ydy'r llwyth yn ddiogel?

– Mae'r llwyth yn ddiogel. Dy'n ni ddim yn bobl faleisus. Camddealltwriaeth. Does neb ar fai. Saith o'r gloch nos Lun, meddai Emyr.

– Mi fyddwn ni yno, atebodd Al, cyn i Emyr ddiffodd y ffôn.

– Ydy'r ddau ohonoch chi'n fyddar neu be? Dwi wedi bod yn gweiddi a gweiddi ... meddai Rhian, gan gamu i mewn i'r adlen a gweld Les ac Al yn syllu ar bentwr o bapurau Ewro a thegan draig goch ar y bwrdd o'u blaenau.

– Mae'n rhaid iti gysylltu â'r heddlu, meddai Rhian ar ôl i Les ac Al esbonio cynnwys yr alwad ffôn.

Yn sydyn, cofiodd Les ei sgwrs ffôn gyda'r aelod brwd hwnnw o CACH, Berian Breeze, yn gynharach yr wythnos honno. Tybed oedd 'na bosibilrwydd bod heddlu Interpol yn chwilio am Les oherwydd ei gysylltiad â Berian a'i efaill, Bedwyr, wedi iddynt ddwyn fan i geisio ymuno â gweddill y CACHwyr yn Ffrainc?

– Na ... sai'n mynd i gysylltu â'r heddlu. Mae'n amlwg bod Delyth wedi dod o hyd i'r tegan drwy gamgymeriad. Rwy'n siŵr y bydd hi'n iawn os ro' i'r arian yn ôl iddyn nhw, meddai'n dawel. – Mi ro' i lifft yn ôl i Lens i'r ddau ohonoch chi fory cyn mynd ymlaen i Toulouse i roi'r arian i'r herwgipwyr nos Lun. Y siom fwyaf yw mai Cymry ydyn nhw. Alli di ddim ymddiried yn unrhyw un y dyddie 'ma, ychwanegodd, gan siglo'i ben mewn anghrediniaeth.

– Dy'n ni ddim yn mynd i unman. Ry'n ni'n aros 'da ti, Les, mynnodd Al. Cytunodd Rhian.

– Les. Ry'n ni'n mynd i gychwyn ar y daith i Toulouse ben bore, meddai, gan godi ar ei thraed. – *Kebabs* llysieuol oer, rhywun?

58.

Yn y cyfamser roedd Emyr yn cael ei holi'n dwll gan Delyth, Terry a Manon.

– Beth oedd yr acen warthus 'na? 'Fi yw'r Emir … ' gofynnodd Terry, gan ddynwared acen Dwyrain Canol Emyr.

– Dyna'r unig beth allen i feddwl amdano ar y pryd, atebodd Emyr. – Ond fe weithiodd. Fe gawson nhw lond twll o ofn, ac fe fyddan nhw tu allan i Gât A y stadiwm pêl-droed am saith o'r gloch nos Lun … does dim dwywaith am hynny.

– Ond pam wnest ti drefnu i gwrdd â nhw bryd hynny? gofynnodd Terry.

– Oherwydd os oes 'na rywun wedi bod yn ceisio dwyn yr arian o'r camperfan, mae hynny'n golygu nad ydyn nhw am imi drosglwyddo'r arian i gyswllt busnes Wncwl Steffan nos Lun. Dwi wedi trefnu i gwrdd â Les a'i ffrind, Al, yn yr union le y trefnodd Wncwl Steffan imi gwrdd â'i gyswllt busnes, ond awr ynghynt yng nghanol miloedd o ddilynwyr pêl-droed. Bydd hynny'n rhoi llai o amser i bwy bynnag sydd am ddwyn yr arian i geisio gwneud hynny, meddai Emyr yn hyderus.

– Ddwedest ti fod Les gyda rhywun o'r enw Al? gofynnodd Delyth.

– Do. Dyn ifanc. Roedd y signal yn wael … ond dyn ifanc oedd e'n bendant.

Crychodd Delyth ei thalcen mewn anghrediniaeth. Doedd bosib fod Les ac Al wedi cymodi ers iddi adael ei gŵr dridiau ynghynt, meddyliodd.

– Ro'n i'n meddwl ichi ddelio â'r sefyllfa mewn ffordd broffesiynol iawn, Emyr. Rwy'n credu ein bod ni'n haeddu swper da, meddai Manon.

– Diolch, Manon. Dim ond defnyddio fy mhrofiad yn sgil fy sgyrsiau gydag Wncwl Steffan ... rhag ofn bod rhywun yn gwrando, meddai Emyr.

– Pwy yn y byd fyddai am wrando ar Les yn sgwrsio ar y ffôn? gofynnodd Delyth, a chwarddodd pawb wrth iddyn nhw gerdded i mewn i'r tŷ bwyta.

Dydd Sul 19 Mehefin

59.

Ond fel mae'n digwydd, bu sawl un yn gwrando ar sgwrs Les ac Al gydag Emyr dros y deunaw awr ganlynol. Yr olaf ohonynt oedd y Prif Arolygydd Fabian Defarge, o adran wrthderfysgaeth Ffrainc.

Roedd gwasanaethau cudd Ffrainc wedi dechrau tapio ffonau symudol yn gyfrinachol ers nifer o flynyddoedd. Chwiliai'r systemau cyfathrebu cyfrifiadurol am eiriau amheus y byddai terfysgwyr yn debygol o'u defnyddio yn ystod sgyrsiau ffôn yn Ffrainc.

– Beth yn gwmws gafodd ei ddweud? gofynnodd Fabian Defarge, gan bori trwy'r adroddiad ar y sgwrs ffôn a broseswyd gan swyddogion gwasanaeth cudd Ffrainc dros nos.

Eisteddai pennaeth yr adran ymchwiliadau ffôn, Catherine Signoret, gyferbyn â Monsieur Defarge yr ochr arall i'r bwrdd.

– Gwnaed yr alwad mewn pentref ger Clermont-Ferrand tua saith o'r gloch neithiwr. Mae'r pentref ar lethrau mynyddoedd y Massif Central, felly roedd y signal yn wan, ac mi fethon ni â chofnodi holl gynnwys y sgwrs, eglurodd Mademoiselle Signoret, cyn pwyso ymlaen a gwasgu botwm ar y peiriant oedd ar y bwrdd o'i blaen.

– Y llais cyntaf fyddwch chi'n ei glywed yw un y gwrthrych a adwaenir fel 'Yr Emir'. Dyna beth sbardunodd ein system i recordio'r alwad ffôn am resymau amlwg. Mae'r ail lais yn anhysbys hyd yn hyn, meddai.

– Yr Emir.

– Mae gennych ... arian. Mae gen ... llwyth ... diogel ...

– Beth?

– arian ... tegan draig goch.

Gwasgodd Catherine Signoret fotwm arall i stopio'r tâp.

– Dyna'r tro olaf ry'n ni'n clywed llais dau. Y trydydd llais yw'r gwrthrych a adwaenir fel 'Al'. Gwrandewch eto:

– Helô... Helô ... pwy ... na?

– Yr Emir. Pwy ... ti?

– Al ...

– Gwranda ... Al ... isis ...

– Beth wyt ...

– Al cau dy ... Gât A ... Toulouse ... nos Lun ... Cymru Rwsia ...

– Dweda eto ... iawn ... im am ...

Gwasgodd Catherine Signoret y botwm i stopio'r tâp unwaith eto.

– O hyn ymlaen, gallwch glywed rhywun yn llafarganu'r geiriau 'Al-Kebab' yn y cefndir, meddai, cyn dechrau'r tâp unwaith eto.

– Al! *Kebab* ...

– ... 200,000 Ewro ... Gât A ... Stadiwm ... saith ... Lun ...

– Gât A, y Stad ... Toulouse ... o'r gloch ...

– Al! *Kebab!*

– Ydy'r llwyth ...?

– Al! *Kebab!*

– Diogel ... pobl ... eisus ...cam ... ar fai ... nos Lun.

– Mi fyddwn ... yno.

Gwasgodd Catherine Signoret fotwm i stopio'r tâp am y tro olaf.

– Felly ... beth y'ch chi'n ei amau? gofynnodd Fabian Defarge.

– Mae'r geiriau 'Isis', 'al Qaida' 'imam', 'Emir' ac 'Al-Kebab' yn awgrymu bod grŵp terfysgol o'r enw Al-Kebab yn bwriadu prynu arfau gan y gwrthrych a adwaenir fel 'Yr Emir', meddai Catherine Signoret.

– Ond beth am 'tegan draig goch'?

– Mae'n bosib eu bod wedi ceisio defnyddio rhyw fath o god cyntefig. Maen nhw'n amlwg wedi penderfynu defnyddio'r iaith Gymraeg i geisio rhwystro'r sgwrs rhag cael ei chofnodi ganddon ni, awgrymodd Catherine Signoret.

– Neu o bosib eu bod nhw'n eithafwyr sy'n dod o Gymru. Rwy wedi gorfod delio â'r Cymry yn y gorffennol ac yn fy mhrofiad i maen nhw'n bobl hollol ddiegwyddor, meddai Defarge, gan gofio'r achlysur pan gafodd ei fychanu gan grŵp Gwylliaid Glyndŵr yn y Llyfrgell Genedlaethol yn Aberystwyth ddeng mlynedd ynghynt.

– Ydyn ni'n gwybod unrhyw beth am y grŵp Al-Kebab?

– Dim byd. Ond mae grwpiau tebyg yn codi fel madarch.

Amneidiodd Fabian Defarge ei fod yn cytuno.

– A beth am y lleoliad?

– Clermont-Ferrand? gofynnodd Catherine Signoret gan groesi ei choesau cyn ychwanegu, – Dim byd ... heblaw mai fanna y cyhoeddodd y Pab Urban yr Ail y Crwsâd cyntaf yn erbyn y Mwslemiaid yn 1095. Dim ond lleoliad pwysicaf unrhyw un o'r Dwyrain Canol sydd am ddial ar Ewrop.

– Gwaith gwych, Catherine. O'r gorau. Mae hynny'n ddigon o dystiolaeth. O leia ry'n ni'n gwybod ble mae'r Emir yn bwriadu cwrdd ag Al-Kebab nos Lun. Bydd yn rhaid inni fod yn garcus. Mae'r Stadiwm Municipal yn Toulouse yn dal tua 35,000 o bobl ac mi fydd y lle dan ei sang o ddilynwyr pêl-droed Rwsia a Chymru, meddai, gan godi o'i sedd ac edrych allan o ffenest ei swyddfa yng nghanol Paris.

– Mae'n annhebygol bod Al-Kebab wrthi'n trefnu digwyddiad terfysgol nos Lun, ond mi fyddai'n dda o beth petaen ni'n gallu dal pawb sy'n gysylltiedig â'r cynllun hwn, ychwanegodd Catherine Signoret.

– Yn hollol. Beth wyddom ni am y ffôn a ddefnyddiwyd gan yr Emir? gofynnodd Defarge.

– Ffôn talu wrth alw a brynwyd gydag arian parod gan fenyw ag acen Ffrengig yn Bordeaux ar yr unfed ar ddeg o Fehefin eleni. Yn anffodus, doedd dim camera cylch cyfyng yn y siop, nac ar y strydoedd yn yr ardal honno o Bordeaux.

Trodd Defarge i'w hwynebu eto, gan ochneidio.

– Cyfrwys iawn. Mae ffonau o'r fath yn nodweddiadol o grwpiau fel Al-Kebab. Dyw grwpiau fel hyn byth yn defnyddio'r un ffôn fwy nag unwaith.

Pesychodd Mademoiselle Signoret a gwelodd Defarge ei bod hi'n gwenu.

– Mae'r ffôn wedi bod ymlaen ers hanner awr. Ry'n ni'n gwybod yn gwmws ble mae'r Emir. Mae'n teithio ar hyd yr A62 o Clermont-Ferrand i Toulouse. Mi allai'r uned wrthderfysgaeth yn Toulouse niwtraleiddio'r cerbyd ymhen yr awr.

– O'r gorau. Cod melyn amdani. Ac mi hedfanaf i i Toulouse mewn hofrennydd i gydlynu'r cynllun fy hun y prynhawn 'ma, meddai Defarge, gan feddwl mai dim ond ffŵl amhroffesiynol fyddai'n defnyddio'r ffôn fwy nag unwaith.

60.

Roedd Delyth wedi bod wrthi'n chwarae Candy Crush ar ei ffôn symudol am hanner awr wrth iddi deithio i Toulouse gydag Emyr a Terry yn yr Ace Capri 500.

Roedd Emyr wedi ffonio'i ewythr, Steffan Zelezki, ben bore, i ddweud wrtho bod yr arian wedi'i guddio'n ddiogel ym mherfedd y fan, a'i fod yn edrych ymlaen at gwrdd â chyswllt anhysbys Steffan drannoeth. Cychwynnodd Emyr, Terry a Delyth ar eu taith 250 milltir i Toulouse yn fuan wedi hynny.

Roedd Delyth a Manon yn ddagreuol pan ddaeth hi'n amser iddyn nhw ffarwelio â'i gilydd. Addawodd Delyth y byddai'n bendant yn ymweld â Manon yn flynyddol o hynny ymlaen. Wrth i Manon gofleidio Terry sibrydodd hwnnw yn ei chlust, – Mi fydda i'n dod yn ôl cyn gynted ag y bydd hyn i gyd drosodd.

Y gwir oedd bod Terry wedi'i gyfareddu'n llwyr gan Manon, ac roedd yn dal i feddwl am y noson yn ei chwmni wrth iddo yrru'r Ace Capri 500 tuag at Toulouse y prynhawn hwnnw. Bu'n dylyfu gên droeon yn ystod awr gyntaf y siwrnai am na chafodd fawr o gwsg y noson cynt.

– Rwy'n credu bod angen coffi arnat ti, Terry, neu mi fyddwn ni'n cyrraedd Toulouse mewn ambiwlans, meddai Delyth ar ôl sylwi ar flinder y gyrrwr.

Ddeng munud yn ddiweddarach roedd y tri'n eistedd mewn caffi ar ochr yr A20 rhwng Brive-la-Gaillarde a Montauban.

– Pryd wyt ti'n meddwl y bydd rhywun yn ceisio'i dwyn hi? gofynnodd Delyth, gan sipian ei *café au lait* a syllu ar y fan, oedd wedi'i pharcio tua deugain llath i ffwrdd ond o fewn golwg y tri.

– Ffoniodd Emyr ei ewythr tua dwyawr yn ôl. Rwy'n credu y byddan nhw'n aros nes inni gyrraedd Toulouse heno, meddai Terry.

– Well inni gadw llygad barcud ar y fan, 'te, awgrymodd Emyr, gan weld cerbyd yn parcio o flaen y camperfan. Cododd ar ei draed a gweld mai un dyn yn unig oedd yn y cerbyd. Eisteddodd eto pan welodd y dyn yn cerdded yn hamddenol tuag at y caffi.

– Paid â phoeni, Emyr. Dim ond rhyw ddyn busnes yw hwnna. Fyddan nhw ddim yn ceisio dwyn y fan tan heno. Coelia fi, mynnodd Terry, gan wylio'r dyn tal, gosgeiddig, yn cerdded i mewn i'r caffi ac archebu coffi ar frys, gan adael ei ddwylo ym mhocedi'i gôt wrth aros am ei ddiod.

– Pryd fyddwn ni'n cyrraedd Toulouse? gofynnodd Delyth.

– Ymhen dwyawr. Mi fydd yn rhaid inni aros yng nghanol pobl, felly mi arhoswn ni mewn maes gwersylla y tu allan i'r ddinas, atebodd Terry, gan orffen ei *espresso* mewn un llwnc wrth i'r dyn tal adael y caffi gyda'i goffi, a chamu i mewn i'w gerbyd SUV.

Cododd Emyr ei *latte* i'w geg wrth wylio'r cerbyd yn symud i ffwrdd. Ond ni orffennodd ei ddiod oherwydd unwaith i'r SUV symud, sylweddolodd nad oedd yr Ace Capri 500 yno bellach.

–Damio! gwaeddodd Terry gan godi a rhedeg allan o'r caffi gyda Delyth ac Emyr yn dynn ar ei sodlau, i geisio gweld rhif cofrestru'r SUV.

Ond roedd y cerbyd wedi hen ddiflannu.

Griddfanodd Delyth. I wneud pethau'n waeth, roedd hi wedi gadael ei ffôn ar sedd flaen y fan. Gwyddai na fyddai'n gallu cysylltu â Les nes iddi gwrdd ag ef y noson ganlynol am nad oedd ganddi gofnod o rif ffôn talu wrth alw ei gŵr. Griddfanodd eto pan gofiodd ei bod bron â chyrraedd lefel tri chant pedwar deg tri o Candy Crush.

61.

Chwarddodd Semyon Smerdyakov Marmeladov nerth esgyrn ei ben wrth iddo weld wynebau Terry O' Shea, Emyr Owen a'r fenyw oedd yn eu cwmni yn syllu ar ei ôl wrth iddo adael y maes parcio ac ailymuno â'r briffordd. Anelodd am Brive-la-Gaillarde. Roedd un o gysylltiadau Boris 'y corryn' Petrovich yn berchen ar adeilad yno lle gallai Marmeladov a Peshkov dynnu'r Ace Capri 500 yn ddarnau i geisio dod o hyd i'r arian.

Roedd Peshkov a Marmeladov wedi derbyn cyfarwyddyd pendant gan y corryn hanner awr ynghynt, wrth i'r ddau ddilyn yr Ace Capri 500 ar hyd yr A20 o Clermont-Ferrand i Toulouse.

– Mae'r arian yn *bulkheads* y cerbyd, meddai'r corryn wrth Marmeladov, oedd erbyn hyn yn gallu dal y ffôn yn ei law chwith, er bod ei law dde yn glwyfus o hyd yn dilyn ymosodiad y ci ffyrnig arno ddeuddydd ynghynt.

– ... a dwi wedi cael digon ar eich methiannau yn ceisio cael gafael ar yr arian. Dwi am ichi ddwyn y camperfan ar y cyfle cyntaf posib ... meddai Petrovich, cyn ychwanegu y dylai'r ddau yrru'r fan i adeilad diogel yn Brive-la-Gaillarde er mwyn ei archwilio'n drylwyr.

– Beth am O'Shea, Owen a'r fenyw? Ydych chi am inni eu lladd nhw cyn inni ddwyn y fan? Neu ydych chi am i un ohonon ni ddwyn y fan a'i harchwilio tra bod y llall yn cadw golwg ar y tri cyn eu lladd? gofynnodd Marmeladov.

– Na. Dwi am wybod a yw'r arian yn y fan ai peidio. Gadewch i'r tri deithio i Toulouse. Mi wna i a'r gweddill ddelio â nhw yfory. Ond mae'n rhaid imi gael gwybod bod yr arian yn y fan ... neu ry'ch chi'n gwybod beth fydd yn digwydd, oedd rhybudd olaf Boris 'y corryn' Petrovich.

– Beth ddwedodd e? gofynnodd Peshkov.

– Dim ond amlinellu cynllun gweddol rwydd i'w gyflawni, meddai Marmeladov, gan wybod, petai'r cynllun yn mynd ar gyfeiliorn, y byddai'n rhaid iddo ef a Peshkov dalu'r pris eithaf am eu methiannau.

Ond gweithiodd y cynllun i'r dim. Cyrhaeddodd Marmeladov yr adeilad diarffordd ar gyrion Brive-la-Gaillarde awr yn ddiweddarach, a gweld bod Peshkov yn eistedd yn yr Ace Capri 500. Roedd y ddau'n hen gyfarwydd â thynnu ceir yn ddarnau yn sgil eu profiad helaeth o gludo cyffuriau ar gyfer y gangiau roeddent yn perthyn iddynt ym Moscow.

Serch hynny, teimlai'r ddau'n rhwystredig pan sylweddolon nhw, awr yn ddiweddarach, nad oedd yr arian y cyfeiriodd y corryn ato wedi'i guddio ym mherfedd yr Ace Capri 500 wedi'r cyfan.

Safai'r ddau ger y cerbyd yn ysmygu sigarét yr un.

– Mae'n rhaid imi gyfaddef 'mod i wedi amau'n fawr a fydden ni'n llwyddo gyda'r cynllun hwn, Marmeladov ... cyn imi weithio gyda ti, mi ddwedodd pawb dy fod yn warthus yn dy waith ... ac roedden nhw'n iawn ... rwyt ti wedi methu'n llwyr.

– Diolch, Peshkov. Nawr, well i mi ffonio'r bòs, meddai Marmeladov, gan obeithio na fyddai hwnnw'n ei feio ef a Peshkov am y ffaith nad oedd yr arian yn yr Ace Capri 500.

Roedd ar fin deialu rhif Petrovich pan gafodd ei ddallu gan oleuadau a sŵn byddarol ugain o aelodau adran wrthderfysgaeth Ffrainc yn llifo i mewn i'r adeilad o bob cyfeiriad.

– Peidiwch â symud ... gorweddwch ar y llawr nawr! gwaeddodd prif swyddog yr uned.

Ufuddhaodd y ddau ar unwaith.

Hanner munud yn ddiweddarach, cerddodd y Prif Arolygydd Fabian Defarge i mewn i'r adeilad, gan sefyll uwchben Peshkov a Marmeladov.

– O'r gorau. Pa un ohonoch chi yw'r Emir? gofynnodd.

– Fe, meddai Peshkov a Marmeladov ar yr un pryd.

Dydd Llun 20 Mehefin

62.

Eisteddai Marmeladov yn wynebu'r Prif Arolygydd Fabian Defarge yr ochr arall i'r bwrdd ym mhrif orsaf yr heddlu yn Toulouse. Roedd wedi gwrthod yngan gair wrth yr heddlu ynghylch pam roedd y fan yn ei feddiant ers iddo gael ei arestio'r noson cynt.

Roedd y sefyllfa wedi achosi cryn benbleth i Fabian Defarge, oherwydd yn ôl ymchwiliadau'r heddlu cudd, prynwyd yr Ace Capri 500 yn Llundain bythefnos ynghynt, ac roedd wedi'i gofrestru dan yr enw Emyr Owen. Yn ôl adroddiad yr heddlu cudd, roedd Emyr Owen yn nai i ddyn busnes o'r enw Steffan Zelezki, oedd mewn cysylltiad â nifer o oligarchiaid Rwsiaidd oedd yn byw yn Llundain ac un oedd wedi ymgartrefu yn Ffrainc, sef Boris 'y corryn' Petrovich.

Roedd Defarge eisoes wedi dosbarthu llun o Emyr Owen i'r heddlu, gan bwysleisio ei fod am iddynt ddod o hyd i leoliad y dyn ifanc hwn cyn gynted â phosib. Ai Emyr Owen oedd 'Yr Emir'? Ynteu ai cyd-ddigwyddiad llwyr oedd y tebygrwydd rhwng y ddau enw?

Yn sicr, roedd y ffôn gafodd ei ddefnyddio gan 'Yr Emir' i gysylltu â'r grŵp terfysgol Al-Kebab wedi ei ddarganfod ar sedd flaen y camperfan pan gafodd y ddau ddyn anhysbys eu harestio'r diwrnod cynt, meddyliodd Defarge. Nid edrychai'r un o'r ddau ddyn fel y math o droseddwr fyddai'n dwyn ceir. Ni wyddai Fabian Defarge hyd yn hyn pwy oedden nhw. Y gwir amdani oedd nad oedd Marmeladov na Peshkov wedi'u dedfrydu erioed am unrhyw drosedd a gyflawnwyd ganddynt yn ystod eu gyrfaoedd fel dihirod.

Esboniodd Defarge i Marmeladov ei fod yn amau bod yr Emir yn bwriadu gwerthu arfau a ffrwydron i fudiad terfysgol o'r enw Al-Kebab. Gwnaeth hynny i'r Rwsiad feddwl yn ddwys am ei sefyllfa.

Yr unig beth a wyddai Marmeladov oedd bod Boris 'y corryn' Petrovich wedi gofyn iddo ef a Peshkov ddod o hyd i 200,000 Ewro oedd ym meddiant Emyr Owen, cyn lladd hwnnw a'i gyd-deithiwr, Terry O'Shea. Oedd ei gyflogwr yn rhan o gynllun dyrys i werthu arfau i derfysgwyr? Roedd hynny'n gwbl bosib, o adnabod y corryn, meddyliodd Marmeladov. Hefyd, roedd Petrovich wedi awgrymu y byddai hi ar ben ar Marmeladov pe na bai'r cynllun yn llwyddo. Gwyddai erbyn hyn ei fod dros ei ben a'i glustiau mewn trafferth.

Serch hynny, gwyddai hefyd, petai'n dweud y gwir wrth yr heddlu, y byddai'r corryn yn siŵr o ddod i wybod mai Marmeladov oedd wedi'i fradychu. Mater bach i'r corryn fyddai llwgrwobrwyo un o aelodau'r heddlu er mwyn cael yr wybodaeth honno.

Pwysodd Marmeladov ymlaen yn ei sedd a sibrwd,

– Imiwnedd?

Amneidiodd Defarge, ac aeth Marmeladov yn ei flaen i ddweud wrtho ei fod ef a'r dyn arall wedi'u cyflogi gan ddyn o'r enw Boris 'y corryn' Petrovich i ddilyn dau Gymro o'r enw Terry O'Shea ac Emyr Owen, am fod ganddynt 200,000 Ewro wedi'i guddio yn eu camperfan. Esboniodd mai eu gorchwyl oedd dwyn yr arian a'i drosglwyddo i Petrovich. Penderfynodd beidio â dweud wrth yr heddwas fod Petrovich am iddo ladd y ddau Gymro, rhag ofn iddo gael ei gyhuddo o gynllwynio i lofruddio.

Daeth Marmeladov â'i ddatganiad i ben trwy ddweud bod

y ffôn symudol yn y fan pan gafodd ei dwyn y prynhawn cynt.

– A beth yw eich enw chi? gofynnodd Defarge.

Pwysodd Marmeladov ymlaen yn ei sedd unwaith eto gan sibrwd,

– Imiwnedd?

Amneidiodd Defarge unwaith eto.

– Alexei Maximovich Peshkov, meddai Marmeladov gan wenu'n gam. Roedd wedi achub ei groen ei hun drwy sicrhau imiwnedd, gan sicrhau ar yr un pryd mai Peshkov fyddai'n cael y bai am fradychu Boris 'y corryn' Petrovich.

– A beth yw enw eich ffrind?

– Semyon Smerdyakov Marmeladov, atebodd Marmeladov, gan deimlo'n ffyddiog na fyddai Peshkov yn dweud gair wrth yr heddlu.

Ond roedd Marmeladov yn anghywir. Roedd Peshkov hefyd wedi bod yn meddwl yn ddwys am ei sefyllfa gythryblus.

Hanner awr yn ddiweddarach, mewn swyddfa gyfagos, pwysodd Peshkov ymlaen yn ei sedd a sibrwd,

– Imiwnedd?

Amneidiodd Defarge, cyn i Peshkov adrodd yr un stori â'r un a glywodd gan Marmeladov hanner awr ynghynt. Penderfynodd Peshkov hefyd beidio â dweud wrth yr heddwas fod Petrovich am iddo ladd y ddau Gymro, rhag ofn iddo yntau gael ei gyhuddo o gynllwynio i lofruddio.

– A beth yw eich enw? gofynnodd Defarge.

– Semyon Smerdyakov Marmeladov, meddai Alexei Maximovich Peshkov gan wenu'n gam.

– A beth yw enw eich ffrind?

– Alexei Maximovich Peshkov.

Rhan IV

63.

Roedd Delyth, Terry, ac Emyr wedi cyrraedd Toulouse yn hwyr y noson cynt. Llwyddon nhw i archebu tacsi ar gyfer y daith hanner can milltir o'r orsaf betrol i'r ddinas hynafol yn ne Ffrainc, cyn aros mewn gwesty yng nghanol y ddinas y noson honno.

Penderfynodd y tri beidio â hysbysu'r heddlu fod yr Ace Capri 500 wedi'i dwyn, am nad oeddent am gymhlethu'r sefyllfa cyn cwrdd â Les y tu allan i'r stadiwm pêl-droed yn Toulouse am saith o'r gloch ar y nos Lun. Treuliodd y tri y bore yn crwydro strydoedd yr hen ddinas, y *Ville Rose*, gan ryfeddu at yr adeiladau pinc a godwyd o gerrig ardal y Languedoc.

Roedd Delyth wedi prynu ffôn talu wrth alw newydd erbyn hyn. Roedd y tri'n gymharol dawel eu meddyliau felly wrth iddynt grwydro'r ddinas, gan gymysgu gyda gweddill cefnogwyr timau pêl-droed Cymru a Rwsia. Roedd nifer o heddweision hefyd i'w gweld ymhlith y cefnogwyr pêl-droed, gyda'r awdurdodau'n benderfynol o atal unrhyw gangiau o hwliganiaid Rwsiaidd rhag achosi mwy o drafferth, yn sgil ymddygiad treisgar yr Ultras ym Marseille a Lille yr wythnos cynt. Ond roedd hynny'n annhebygol, am fod tri chefnogwr o Gymru i bob un cefnogwr o Rwsia yn y ddinas y diwrnod hwnnw.

Ychydig a wyddai Terry, Emyr a Delyth fod yr heddlu hefyd yn chwilio am Emyr Owen. Roedd yr heddweision yn cario llun cyfredol o Emyr, a anfonwyd at y Sûreté yn Ffrainc dros nos gan y DVLA yn Abertawe. Serch hynny, roedd yr heddweision wedi cael cyfarwyddyd pendant gan Fabian Defarge i ddilyn Emyr Owen petaent yn ei weld yn hytrach na'i arestio, am fod Defarge am i Emyr eu harwain at y grŵp terfysgol, Al-Kebab.

Penderfynodd y tri gael pryd o fwyd yn un o gaffis y Place du Capitole yng nghanol y ddinas, cyn dal y Metro i'r stadiwm pêl-droed i gwrdd â Les am saith o'r gloch y noson honno. Ar ôl iddyn nhw archebu'u bwyd, pwysodd Terry ymlaen yn ei gadair.

– Peidiwch ag edrych, ond mae dyn a menyw wedi bod yn ein dilyn ni ers awr a hanner, sibrydodd.

Arwyddodd Delyth ac Emyr eu bod yn deall, gan barhau i syllu ar Terry.

– Beth y'n ni'n mynd i'w wneud? gofynnodd Emyr yn dawel.

– Delyth. Ymhen munud, coda ar dy draed a cherdda'n araf at y Tabac, sydd i'r chwith o Neuadd y Ddinas, sydd o'n blaenau ar ochr y sgwâr. Arhosa yno am funud neu ddwy cyn prynu cerdyn post a dod yn ôl. Emyr, ar yr un pryd, cerdda di draw i'r Tabac sydd i'r dde o Neuadd y Ddinas. Arhosa yno am funud neu ddwy cyn prynu cerdyn post a dod yn ôl. Deall?

Arwyddodd Delyth ac Emyr unwaith eto cyn dilyn cyfarwyddiadau Terry. Gwyliodd Terry'r ddau'n codi o'u seddi a cherdded yn araf i'r ddau gyfeiriad gwahanol. Eiliadau'n ddiweddarach gwelodd fod y dyn a'r fenyw a fu'n eu dilyn drwy'r prynhawn wedi codi ac wedi dechrau cerdded yn hamddenol gyda'i gilydd i'r un cyfeiriad ag Emyr.

Dychwelodd Delyth ac Emyr gyda'u cardiau post ymhen pum munud, ac eistedd yn ymyl Terry unwaith eto. Roedd hwnnw'n siarad gyda gweinydd oedd newydd ddod â'u bwyd i'r bwrdd.

– Gwych. Amseru da. Mae'r bwyd wedi cyrraedd. A dwi'n mynnu mai fi sy'n talu am ei bod yn ddiwrnod pen-blwydd arnat ti, Delyth, meddai Terry gan wenu, ond roedd ei lygaid wedi'u hoelio ar y ddau oedd erbyn hyn yn siarad â'i gilydd ger y Tabac roedd Emyr newydd ddychwelyd ohono.

– Oedden nhw'n ein dilyn ni? gofynnodd Emyr.

– Yn bendant, atebodd Terry gan wenu, cyn dechrau bwyta'i *coq au vin*.

– Felly beth y'n ni'n mynd i'w wneud? gofynnodd Delyth.

– Bwyta dy fwyd cyn iddo fynd yn oer, meddai Terry, gan wenu'n serchog ar Delyth.

Gorffennodd y tri eu prydau bwyd mewn tawelwch, cyn i Terry bwyso ymlaen yn ei sedd a gweld fod y dyn a'r fenyw yn dal i loetran ger y caban Tabac.

– Dyma'r cynllun. Mae'n amlwg bod y ddau sydd wedi bod yn ein dilyn ni wedi cael cyfarwyddyd i ddilyn Emyr, a dim ond Emyr, oherwydd mi ddilynodd y ddau Emyr i'r caban. Hefyd, dwi ddim yn credu eu bod nhw'n gwybod ein bod ni'n cwrdd â Les y tu allan i'r stadiwm, neu mi fydden nhw wedi aros amdanon ni yno yn hytrach na'n dilyn ni drwy'r prynhawn. Dwi'n credu na fyddan nhw'n dilyn Delyth, os aiff hi ar ei phen ei hun i gwrdd â Les, meddai Terry. Trodd at Delyth ac ychwanegu, – Dwi'n awgrymu fy mod i'n mynd gydag Emyr, ac yn gwneud yn siŵr ein bod ni'n colli'n dau ffrind cyn ymuno â Les a ti wrth Gât A y tu allan i'r stadiwm am saith o'r gloch. Cer i'r orsaf Metro sydd yng nghornel bellaf y sgwâr a dal trên ar y llinell felen i orsaf St Michel, sydd tua deng munud o gerdded o'r stadiwm. Mi gwrddwn ni â ti yno am saith. Ond cofia aros yno nes inni gyrraedd.

Tynnodd Terry un o'r ddau docyn roedd Steffan Zelezki wedi'u rhoi i'w nai ar gyfer y gêm o'i boced.

– Well i ti fynd â hwn 'da ti rhag ofn y bydd yn rhaid iti fynd i mewn i'r stadiwm, meddai.

Cymerodd Delyth y tocyn cyn codi o'i sedd a chofleidio Emyr a Terry yn eu tro, a chychwyn ar ei thaith.

– Diolch am y pen-blwydd mwyaf diddorol erioed, meddai.

– Dyw e ddim drosodd eto, atebodd Terry, gan deimlo ychydig yn hapusach o weld nad oedd neb yn dilyn Delyth.

64.

Roedd Fabian Defarge wedi cyrraedd stadiwm pêl-droed Toulouse rai oriau ynghynt, yng nghwmni ugain aelod arfog o'r adran wrthderfysgaeth. Roedd nifer ohonynt wedi'u dosbarthu i fannau cudd, yn barod i anelu'u drylliau at yr Emir a pha bynnag aelodau o Al-Kebab fyddai'n cwrdd â'i gilydd y tu allan i Gât A am saith o'r gloch.

Bu Defarge yn meddwl yn ddwys am dystiolaeth Peshkov a Marmeladov yn ystod y prynhawn, wrth iddo drefnu'r cynllun i rwydo'r dihirod. Eisteddai mewn cerbyd yng nghyffiniau'r porth i'r stadiwm, gan wylio'r rhes o sgriniau oedd â lluniau cylch cyfyng gwahanol o'r fan lle'r oedd yr Emir wedi trefnu i gwrdd ag Al-Kebab.

Yn dilyn noson o bendroni, daeth Defarge i'r casgliad mai Emyr Owen oedd yr Emir a oedd wedi trefnu i gwrdd â chynrychiolwyr Al-Kebab y noson honno, o bosib ar ran ei ewythr, Steffan Zelezki. Serch hynny, ni wyddai pam y byddai Boris 'y corryn' Petrovich wedi dweud wrth Marmeladov a Peshkov am ddwyn yr 200,000 Ewro oedd ym meddiant Emyr Owen os oedd yr oligarch o Rwsia yn rhan o'r cynllun. Oedd yna anghytundeb rhwng Petrovich a Zelezki ynghylch y cynllun i werthu arfau i'r terfysgwyr, tybed? Gobeithiai y byddai ei benderfyniad i beidio ag arestio Emyr Owen cyn y cyfarfod, er mwyn dal y dihirod yng nghanol y weithred o brynu a gwerthu'r arfau, yn talu'i ffordd.

Roedd Defarge newydd edrych ar ei watsh. Deng munud i saith. Edrychodd ar y sgriniau o'i flaen, gan chwilio am rywun a edrychai'n debyg i Emyr Owen a'i gyd-deithiwr, Terry O'Shea, fel y'u disgrifiwyd gan Peshkov a Marmeladov. Hyd yn hyn doedd neb oedd yn ateb y disgrifiad yn sefyll ger Gât A, ymysg y dilynwyr pêl-droed oedd yn cael eu harchwilio gan y staff diogelwch cyn eu gadael i mewn i gyffiniau'r stadiwm. Sylwodd fod nifer o bobl wedi ymgasglu o amgylch menyw wedi'i gwisgo fel Mam Rwsia, oedd yn perfformio fel cerflun byw tua ugain llath i ffwrdd.

Canodd ffôn symudol Defarge. Cododd y ffôn yn araf a gwrando ar y llais ar y pen arall am hanner munud. Esboniodd y galwr, Sarjant Delon, ei fod ef a'i gyd-heddwas, Cwnstabl Deneuve, wedi colli Emyr Owen a Terry O'Shea yng nghanol y cannoedd o ddilynwyr pêl-droed oedd yn dal y Metro yng ngorsaf Place du Capitole er mwyn cyrraedd y gêm.

– Pryd oedd hynny? gofynnodd Defarge.

– Chwarter awr yn ôl, atebodd Delon.

– Iawn. Dim problem. O leia maen nhw wedi cyrraedd yn ôl y disgwyl, meddai Defarge, gan weld dyn ifanc a dyn canol oed yn sefyll y tu allan i Gât A y stadiwm.

Gwenodd Defarge pan welodd fod Emyr Owen wedi ceisio newid ei olwg drwy wisgo barf ffug anferth. Ond roedd y dyn yn ei ymyl, er ei fod yn edrych ychydig yn hŷn na'r dyn a ddisgrifiwyd gan Peshkov a Marmeladov, yn dal tegan draig goch.

– Helô, Mistar Owen a Mistar O'Shea, meddai Fabian Defarge o dan ei wynt, – Croeso i uffern.

65.

Ond nid Mistar Owen a Mistar O'Shea oedd yn sefyll y tu allan i Gât A Stadiwm Toulouse am bum munud i saith y noson honno, ond Mistar Les Welsh a Mistar Al Edwards.

Roedd Les, Al a Rhian wedi treulio'r noson cynt ym maes gwersylla Toujours Toulouse, bum milltir y tu allan i'r ddinas, cyn dod â'r garafán i'r maes parcio agosaf i'r stadiwm pêl-droed ar Allée Fernand Jourdan, tua phum can metr i ffwrdd, yn hwyr brynhawn Llun.

Roeddent wedi penderfynu y byddai'n syniad da petai Al yn mynd gyda Les i drosglwyddo'r arian i'r Emir. Penderfynon nhw hefyd y byddai'n well petai Al yn cynnal unrhyw drafodaethau gyda'r herwgipwyr, rhag ofn i Les golli ei limpin.

Roedd y tri wedi trafod y posibilrwydd y gallent fod mewn perygl wrth drosglwyddo'r arian. O ganlyniad, penderfynodd Rhian y byddai'n well iddi hi gadw allweddi'r Citroën Xsara Picasso, rhag ofn i Les ac Al gael eu herwgipio. Penderfynodd hefyd gadw llygad barcud ar y ddau trwy berfformio fel cerflun byw yn y wisg Mam Rwsia yr oedd eisoes wedi'i chreu ar gyfer y gêm rhwng Cymru a Rwsia.

Teimlai Les yn nerfus wrth iddo sefyll ger Gât A y tu allan i'r stadiwm gyda'r tegan draig goch yn ei law. Mi fyddai wedi teimlo'n fwy nerfus byth petai'n gwybod bod deg o ddrylliau heddlu cudd Ffrainc wedi'u hanelu at ei galon a'i ben.

66.

Bu dau aelod o staff diogelwch Boris 'y corryn' Petrovich hefyd yn aros yn eiddgar i Emyr Owen a Terry O'Shea gyrraedd Gât A y stadiwm pêl-droed y noson honno.

Nid oedd y corryn wedi cwrdd â'r dyn ifanc, Emyr Owen, ond roedd e'n edmygu dyfeisgarwch nai Steffan Zelezki yn fawr. Roedd hi'n amlwg i'r corryn bod Emyr Owen a Terry O'Shea wedi goresgyn ymdrechion Peshkov a Marmeladov i ddod o hyd i'r 200,000 Ewro'r diwrnod cynt, am nad oedd Boris wedi llwyddo i gysylltu â'r ddau ers pedair awr ar hugain. Roedd y ddau aelod arall o staff diogelwch Boris Petrovich a anfonwyd i gwrdd ag Emyr a Terry y tu allan i Stadiwm Toulouse yn llwyr ymwybodol felly eu bod yn delio â dau ddyn cyfrwys a pheryglus iawn.

Roedd gan y ddau, sef Igor Josef Bashkov a Vladimir Ilyich Jamski, ddryll yr un yn eu meddiant. Er bod systemau diogelwch llym iawn yn eu lle ar gyfer y gêm rhwng Cymru a Rwsia'r noson honno, roedd gan Petrovich gysylltiadau da â Llywodraeth Rwsia. Llwyddodd felly i sicrhau fod gan Bashkov a Jamski drwyddedau gwasanaeth diogelwch tîm pêl-droed Rwsia ar gyfer yr ornest.

Er bod y ddau o dan yr argraff mai am wyth o'r gloch y noson honno yr oedd y cyfarfod gydag Emyr Owen a Terry O'Shea, penderfynon nhw gyrraedd yn gynnar i wneud yn siŵr na fyddai dim yn mynd o'i le. Roeddent eisoes wedi bod yn aros am Terry ac Emyr am hanner awr pan welodd Bashkov fod dau ddyn wedi cyrraedd yr union fan lle'r oedd Owen ac O'Shea i fod i sefyll ar gyfer y cyfarfod. Ar ben hynny, roedd un ohonyn nhw'n dal tegan draig goch.

Trodd Bashkov ei ben yn araf at Jamski a dweud ei fod yn credu bod Emyr a Terry wedi cyrraedd.

– Ond maen nhw wedi cyrraedd awr yn gynnar, protestiodd Jamski.

– Gorau po gyntaf y bydd hyn i gyd drosodd, atebodd Bashkov.

– Ro'n i'n meddwl bod yr un hŷn yn gyn-aelod o Leng Dramor Ffrainc. Mae wedi gadael i'w hun fynd on'd yw e? meddai Jamski. Syllodd ar goesau main Les a'r bol oedd yn ymestyn dros dop ei siorts tyn.

– Mae bywyd caled y Legion wedi'i heneiddio'n arw, mae'n siŵr, meddai Bashkov. – Ond mae Peshkov a Marmeladov wedi diflannu. Mae'r ddau foi 'na mwy na thebyg wedi'u lladd nhw, felly gwylia nhw'n ofalus, Vladimir Ilyich Jamski.

– Mi wna i hynny, Igor Josef Bashkov ... mi wna i hynny.

Cerddodd Bashkov a Jamski ymhlith y dilynwyr pêl-droed oedd yn tyrru tua'r stadiwm nes iddyn nhw gyrraedd Les ac Al.

– Emyr? gofynnodd Bashkov, gan gyfarch y dyn y tybiai mai Emyr Owen ydoedd.

Amneidiodd Al, gan feddwl mai hwn oedd yr Emir yr oedd wedi cytuno i gwrdd ag ef ar y ffôn y nos Sadwrn cynt.

– Emir, meddai Al.

– Dewch gyda ni, meddai Bashkov yn Saesneg, gan gamgymryd fod Al wedi cadarnhau mai ef oedd Emyr.

– Na. Y cytundeb oedd trosglwyddo'r arian fan hyn. Gofynna iddyn nhw ble mae Delyth, meddai Les wrth Al, cyn i hwnnw droi at Bashkov.

– Mae'r arian ganddon ni. Ble mae'r llwyth? gofynnodd Al yn Saesneg.

Gwenodd Bashkov, cyn agor ei gôt a dangos dryll mewn gwain o dan ei gesail chwith.

– Mae'r cynllun wedi newid. Dewch gyda ni, meddai Bashkov.

Dechreuodd Les ac Al gerdded yn bryderus, gyda Bashkov a Jamski y naill ochr a'r llall iddynt, tuag at y maes parcio ar

Allée Fernand Jourdan, lle'r oedd SUV y ddau Rwsiad wedi'i barcio. Ni sylwodd Bashkov a Jamski fod Mam Rwsia yn eu dilyn.

Ni wyddai'r Rwsiaid ychwaith fod Fabian Defarge ac ugain aelod o'r heddlu cudd yn eu gwylio'n cerdded at yr SUV yn y maes parcio. Gwyddai Defarge nad oedd ganddo ddigon o dystiolaeth i arestio unrhyw un ar hyn o bryd. Penderfynodd felly mai'r peth gorau fyddai dilyn y ddau ddyn y tybiai ef mai Emyr Owen a Terry O'Shea oedden nhw, a'r ddau ddyn arall, gan obeithio y bydden nhw'n ei dywys at yr arfau, neu o leiaf at dystiolaeth o werthu arfau.

– Oes ganddon ni gar yn y maes parcio? ... Oes? Da iawn ... Rwy am ichi ddilyn yr SUV ... ac rwy am gael drôn yn yr awyr yn dilyn y cerbyd. Gwnewch e nawr, gwaeddodd Defarge, gan adael y cerbyd i arwain y cyrch ei hun.

67.

Roedd Delyth wedi cyrraedd gorsaf Metro St Michel toc wedi hanner awr wedi chwech, ond roedd hi bron yn saith erbyn iddi gyrraedd cyrion y stadiwm pêl-droed. Bu'r daith ar droed o'r Metro yn un araf am fod cymaint o gefnogwyr yn heidio i'r un cyfeiriad.

Rhuthrodd Delyth o amgylch y stadiwm yn chwilio am Gât A, ond erbyn iddi gyrraedd yno nid oedd Les i'w weld yn unman. Yna gwelodd gerflun byw benywaidd yn cerdded yn y pellter a'i chefn tuag ati. Roedd y cerflun tua chanllath i ffwrdd ac yn edrych yn debyg i Rhian James o'r cefn, meddyliodd Delyth. Trodd Mam Rwsia ei phen am eiliad a gwyddai Delyth i sicrwydd mai Rhian James oedd hi. Collodd olwg arni am eiliad neu ddwy wrth i grŵp o gefnogwyr Cymru gerdded o'i blaen. Erbyn iddi edrych eto roedd Rhian wedi diflannu o'i golwg. Yn sydyn, cofiodd Delyth fod Rhian wedi rhoi ei cherdyn busnes iddi yn Bordeaux. Pam nad oedd hi wedi meddwl am hynny'n gynt? meddyliodd, gan geryddu'i hun wrth gofio fod Emyr wedi dweud wrthi ddeuddydd ynghynt fod rhywun o'r enw Al gyda Les. Rhoddodd ochenaid o ryddhad pan ddaeth o hyd i'r cerdyn yng ngwaelod ei bag llaw.

Deialodd rif ffôn symudol Rhian James, gan ddechrau cerdded trwy'r cannoedd o ddilynwyr Cymru a Rwsia, yn y gobaith bod Rhian yn cario'i ffôn.

– Helô ... pwy sy 'na? Dwi braidd yn brysur ar hyn o bryd, meddai Rhian, oedd allan o wynt wrth ddilyn Les, Al, Bashkov a Jamski i'r maes parcio.

– Rhian. Helô. Delyth Welsh sy 'ma. Wyt ti'n agos i stadiwm pêl-droed Toulouse?

– Ydw ... ond ble wyt ti? Pam nad wyt ti gyda'r herwgipwyr? Ydyn nhw wedi dy ryddhau?

– Beth? Sai'n deall. Ble mae Les? Ro'n i i fod i gwrdd â fe y tu allan i'r stadiwm am saith ...

– Ti? Ond mae'r herwgipwyr 'da Les ac Al nawr ... dwi ddim yn deall ... ond does dim ots am hynny nawr ... dilyna'r arwyddion i'r maes parcio yn Allée Fernand Jourdan cyn gynted â phosib.

Rhuthrodd Delyth nerth ei thraed i'r maes parcio awyr agored, gan edrych o'i hamgylch yn wyllt am Rhian. Yna gwelodd y Citroën Xsara Picasso gyda'r garafán y tu ôl iddo. Safodd ger y cerbyd am ennyd, gan feddwl pam roedd cennin plastig ar do'r car, a theimlo rhyddhad ei bod, o leiaf, wedi dod o hyd i rywbeth cyfarwydd. Ond ble roedd Les?

Ymhen hanner munud, gwelodd Delyth gerflun byw gyda wyneb arian yn rhedeg tuag ati.

– Be sy'n digwydd? gofynnodd, gan weld Rhian yn rhuthro heibio iddi ac yn agor drws y car.

– Dim amser i esbonio. Neidia i mewn. Mi ddweda i wrthot ti ar y ffordd. Mae Les ac Al wedi'u herwgipio ac mae'r herwgipwyr yn gadael y maes parcio ... mae'n rhaid i ni eu dilyn nhw, meddai Rhian yn fyr ei gwynt, wrth iddi lywio'r car a'r garafán allan o'r man parcio ac anelu am allanfa'r maes parcio.

– Pa fath o gerbyd sydd ganddyn nhw?

– Sai'n gwybod. Car mawr du ... dacw fe ... dwi'n cofio'r rhif cofrestru, meddai Rhian, gan weld y cerbyd SUV tua phum car o'u blaenau mewn rhes o geir a thacsis oedd yn aros i adael y maes parcio.

Roedd rhes o geir, hefyd, yn teithio'n araf i mewn i'r maes parcio, wrth i'r cefnogwyr gyrraedd ar gyfer y gêm rhwng Cymru a Rwsia.

– Beth y'n ni'n mynd i'w wneud? gofynnodd Rhian, gan sylweddoli y byddai'n funud neu ddwy cyn i'r ceir adael y maes parcio.

– Dwi ddim yn gwybod. Ydw. Dwi *yn* gwybod, atebodd Delyth, gan ddeialu rhif ffôn Terry O'Shea. Atebodd hwnnw ymhen eiliad a gwrando ar Delyth yn esbonio bod Les ac Al wedi'u herwgipio.

– Iawn. Ry'n ni mewn tacsi. Ry'n ni bron â chyrraedd y stadiwm. Mi gymerodd hi fwy o amser na'r disgwyl i gael gwared â'r bobl oedd yn ein dilyn ni. Mi arhoswn ni amdanoch chi y tu allan i'r maes parcio. Beth yw rhif cofrestru'r SUV? gofynnodd Terry.

Funud neu ddwy'n ddiweddarach, gyrrodd Bashkov yr SUV allan o'r maes parcio a dechrau troi'r cerbyd i'r chwith. Ond bu'n rhaid iddo stopio'r car yn gyflym pan gamodd dau ffŵl meddw o flaen y car. Roedd un yn canu cân answyddogol dilynwyr tîm pêl-droed Cymru, 'Don't take me home ... please don't take me home ...' ar dop ei lais.

– Paid ag ymateb, Bashkov. Gyrra ymlaen yn araf. Dy'n ni ddim am dynnu sylw'r heddlu, meddai Jamski'n dawel.

– O'r gorau. Pwyll pia hi, cytunodd Bashkov, gan orfod gadael i nifer o geir ei basio, cyn i yrrwr Citroën Xsara Picasso oedd yn tynnu carafán oedi iddo gael tynnu allan i'r traffig.

Ni sylwodd Bashkov fod y ddau feddwyn o Gymru wedi neidio i mewn i sedd gefn y Citroën Xsara Picasso cyn i'r cerbyd ddilyn yr SUV allan o ganol dinas Toulouse.

68.

Syllodd Boris 'y corryn' Petrovich gyda balchder ar brydferthwch ei *dacha* islaw, drwy ffenestr ei hofrennydd. Roedd y bwthyn traddodiadol Rwsiaidd yn ffinio â'r *châteu* a brynodd Boris ar gyrion Toulouse bum mlynedd ynghynt. Adeiladodd y *dacha* i'w atgoffa o'i famwlad a'i thraddodiadau, oedd mor bwysig i'r oligarch alltud. Safai'r bwthyn yng nghanol coedlan o goed pinwydd mewn tair erw o dir, oedd wedi'i amgylchynu â wal ugain troedfedd o uchder. Ffiniai'r wal â'r ffordd a arweiniai at bentref cyfagos. Rhoddai'r wal honno breifatrwydd i Boris pan fyddai'n cynnal trafodaethau pwysig gyda'i gysylltiadau busnes yn y *dacha*. Roedd coedlan arall tua chanllath i ffwrdd ac roedd digon o le yng nghanol y coed i'w hofrenyddion ef a'i gysylltiadau busnes lanio ar gyfer y trafodaethau pwysig a gynhelid yn y *dacha* dros aml i wydraid o fodca.

Mynnai Boris hedfan, a chynnal a chadw, ei hofrennydd ei hun, am nad oedd yn fodlon ymddiried yn unrhyw beilot arall. Lladdwyd nifer o ddynion busnes tebyg iddo'i hun mewn sawl damwain hofrennydd amheus dros y degawd diwethaf. Y tu ôl i Boris, eisteddai dau aelod o'i staff diogelwch, Popov a Tostovski. Heddiw, rhwng y ddau gawr hyn, eisteddai Steffan Zelezki.

Roedd Zelezki wedi teithio ar awyren breifat Boris Petrovich o Lundain i faes awyr preifat yn Toulouse y bore hwnnw. Roedd y ddau ŵr busnes wedi cynnal cyfarfod byr yn y maes awyr, gan amlinellu eu cynllun i ddatrys y problemau roedd etifeddiaeth Emyr Owen wedi'u hachosi iddynt ers marwolaeth gwraig Steffan bedwar mis ynghynt.

Fel nifer o ddynion busnes tebyg ym Mhrydain, bu Zelezki'n cuddio symiau sylweddol o arian ar ran Boris Petrovich, trwy greu busnesau alltraeth yn ei enw ef a'i wraig, Ann, yn rheolaidd ers ugain mlynedd. Mantais arall o greu busnesau ffug yn enw Ann Zelezki oedd bod honno wedi treulio'r rhan fwyaf o'i hamser dros ddeng mlynedd olaf ei bywyd ym Monaco, un o lochesi treth pennaf y byd.

Roedd Steffan a'i wraig wedi byw eu bywydau ar wahân yn ystod y blynyddoedd hynny, wrth i Steffan ddechrau cymysgu fwyfwy gyda Boris a'i gysylltiadau cyfoethog yn Llundain a Ffrainc. Roedd eu sefyllfa briodasol annibynnol wedi caniatáu i Steffan gynnal sawl perthynas rywiol gyda menywod ifanc, a gafodd eu denu gan ei rym a'i lwyddiant.

Serch hynny, gwyddai na allai fforddio ysgaru â'i wraig, oherwydd byddai honno'n gallu hawlio o leiaf hanner ei arian, a'r arian oedd yn berchen i Boris Petrovich, yn hollol gyfreithlon. Teimlodd dristwch angerddol pan glywodd fod ei wraig wedi marw yn Gstaad, a hynny'n bennaf am fod Ann wedi gadael ei holl eiddo a'i harian i'w hunig berthynas arall, sef ei nai, Emyr Owen.

Roedd gwerth etifeddiaeth Emyr, ar yr olwg gyntaf, yn dair miliwn o bunnoedd. Ond gwyddai Steffan Zelezki fod y busnesau wedi'u strwythuro'n gyfrwys, fel mai taliad o ddeg y cant i Steffan gan Boris am guddio ei arian oedd y swm hwn. Y gwir oedd bod Emyr wedi etifeddu £30 miliwn o bunnoedd, ac roedd £27 miliwn o'r arian hwnnw'n berchen i Boris 'y corryn' Petrovich.

Cafodd Steffan sioc pan ddywedodd Emyr wrtho ei fod yn ystyried defnyddio'i etifeddiaeth i sefydlu elusen ar gyfer plant amddifad nad oeddent wedi bod mor ffodus ag ef. Esboniodd y sefyllfa gythryblus i Boris 'y corryn' Petrovich, a ymatebodd drwy ddyfynnu geiriau Josef Stalin: 'Mae cael gwared â'r dyn yn cael gwared â'r broblem'.

O ganlyniad, penderfynodd Steffan a Boris mai'r ffordd orau o ddatrys y sefyllfa oedd llofruddio Emyr, oherwydd gwyddai Steffan nad oedd Emyr wedi gwneud ewyllys, ac mai ef oedd yr unig berthynas oedd ganddo ar dir y byw bellach.

Ond roedd gan Steffan un broblem arall. Yn dilyn marwolaeth ei wraig, llwyddodd i gael gafael ar ei chyfrifon banc, a ddangosai ei bod wedi talu dros 100,000 Ewro yn gyfrinachol i gyfrif banc Terry O'Shea yn ystod y pum mlynedd y bu hwnnw'n gweithio yn swyddog diogelwch iddi.

Sylweddolodd Steffan fod Ann a Terry wedi bod yn gariadon. Er bod Steffan wedi cael sawl perthynas rywiol gyda menywod eraill, roedd gwaed Rwsiaidd yn llifo trwy ei wythiennau. Gwyddai y byddai'n rhaid iddo ddial ar Terry O'Shea.

Cytunodd Boris â syniad Steffan o lofruddio Terry ac Emyr ar yr un pryd. Trawodd y ddau ar gynllun i'w llofruddio yn Ffrainc, gan drefnu damwain angeuol iddynt yn yr Ace Capri 500. Cytunodd Boris hefyd i drefnu'r marwolaethau drwy ddefnyddio ei ddau asasin mwyaf profiadol, sef Peshkov a Marmeladov. Ond doedd Peshkov a Marmeladov ddim wedi dod o hyd i'r arian i dalu am y llofruddiaethau, am fod Terry O'Shea wedi rhoi'r tegan draig goch i Delyth Welsh.

– Roedd y cynllun yn un gwallus, meddai Steffan yn chwyrn wrth Boris, wrth i'r ddau eistedd mewn swyddfa yn y maes awyr preifat y prynhawn hwnnw.

– Mi gytunon ni y byddet ti'n talu am lofruddio Owen ac O'Shea, ac mi gytunon ni y byddai Owen yn cludo'r arian mewn tegan draig goch, fel na fyddai modd olrhain yr arian. Roedd y cynllun yn un da, Steffan, atebodd Boris yn dawel.

– Ond mi fethodd y cynllun! Pam na allet ti fod wedi lladd Emyr ac O'Shea beth bynnag? Dyw 200,000 Ewro'n ddim byd i ti, Boris.

– Rwy'n ddyn egwyddorol, Steffan ... dyn egwyddorol iawn. Roedd yn rhaid imi lynu at ein cytundeb. Mi benderfynais i beidio â chwblhau'r cynllun os nad oedd yr arian ar gael. Fel y dwedais i wrth Faer Moscow pan oedden nhw'n cwyno am bris y cyflenwad trydan roedd fy nghwmni'n ei ddarparu ar gyfer y ddinas yn y 90au: dim pres ... dim gwres. Dyna'r drefn ers imi ddechrau ar fy ngyrfa fusnes, ac mae wedi gweithio'n dda i mi.

– Ond beth fydd yn digwydd nawr?

– Mae fy staff wedi casglu Owen ac O'Shea ac maen nhw ar eu ffordd i'r *dacha* nawr. Mae'r ddau wedi bod yn ddyfeisgar iawn wrth osgoi cael eu lladd, a chuddio'r arian, am dros wythnos. Dwi am eu llongyfarch nhw, meddai Boris gan wenu'n gam.

– ... ac wedyn?

– ... cyn gynted ag y gwela i fod yr arian ganddyn nhw, mi fydda i'n gwybod dy fod ti wedi cadw at dy air ... ac mi fyddan nhw'n cael eu lladd. Fel ddwedais i, Steffan, rwy'n ddyn egwyddorol ...

69.

Llwyddodd Rhian i ddilyn yr SUV am ddeng milltir, gan yrru y tu ôl i dri cherbyd arall oedd rhwng yr SUV a'r Citroën Xsara Picasso. O'r diwedd, arafodd y cerbyd oedd yn cludo Al a Les, gan droi i mewn i fynedfa eiddo preifat ar gyrion Toulouse. Arafodd Rhian wrth basio'r fynedfa, a gweld gatiau metel electronig anferth yn agor i adael yr SUV i mewn, cyn cau'n glep ar ei ôl.

– Beth wnawn ni nawr? gofynnodd, gan bwyntio at y wal anferth oedd yn amgylchynu'r safle.

– Tynna lan fan hyn ... nawr, gwaeddodd Terry, gan gyfeirio Rhian at fan lle'r oedd y wal yn gwyro i ffwrdd o'r ffordd ger coedlan drwchus.

Trodd y tri cherbyd oedd o'u blaenau i'r dde yn y fan honno. Sylwodd Rhian nad oedd unrhyw gerbyd y tu ôl iddi. Llywiodd y car a'r garafán yn araf at y goedlan.

– Cer rhwng y ddwy goeden 'na fel na all neb ein gweld ni o'r ffordd, ychwanegodd Terry.

Ufuddhaodd Rhian unwaith eto a dod â'r cerbyd i stop yng nghanol y goedlan. Trodd Delyth at Terry ac Emyr oedd yn eistedd yn y sedd gefn.

– Beth wnawn ni nawr, 'te? A phwy yn y byd sydd wedi herwgipio Les ac Al? gofynnodd yn chwyrn.

– A sut yn y byd wnest ti ddianc rhag yr Emir a'r bobl a'th herwgipiodd di, Delyth? gofynnodd Rhian yn ddryslyd.

– Does dim amser i esbonio nawr. Y peth pwysig yw ceisio achub Les ac Al. Rwy'n amau eu bod mewn peryg mawr, meddai Terry, gan dynnu ei ddryll o gefn ei drowsus.

– Sut ar y ddaear ydyn ni'n mynd i wneud hynny? Does ganddon ni ddim ffordd o ddringo'r wal, na dim arfau, heblaw'r dryll yma, meddai Emyr yn benisel.

Bu tawelwch yn y cerbyd am ennyd, cyn i Delyth gael syniad, wrth iddi ddwyn i gof areithiau diflas Les am beiriannau gwarchae'r canol oesoedd.

– Mi allen ni ddefnyddio'r garafán fel peiriant gwarchae petaen ni'n gallu ei symud hi'n ddigon agos at y wal, awgrymodd.

– Gwir. Ond sut ddown ni 'nôl dros y wal ar ôl achub Les ac Al ... gan gymryd yn ganiataol na fyddwn ni'n torri'n coesau wrth neidio o ben y wal yn y lle cyntaf, meddai Emyr gydag ochenaid, cyn ychwanegu, – ... ac o safbwynt achub Les ac Al, does ganddon ni ddim digon o arfau i oresgyn pwy bynnag sydd wedi'u herwgipio nhw!

Bu tawelwch eto nes i Rhian weiddi,

– Oes. Mae 'na ffordd. Dilynwch fi.

Neidiodd allan o'r car ac agor y garafán, cyn camu at y wardrob ddillad a thynnu'r gwaelod ffals, er mwyn cyrraedd y deunydd canoloesol roedd Les Welsh wedi'i guddio yno.

– Blydi hel. Mae gan dy ŵr ei *arsenal* personol ei hun! rhyfeddodd Terry gan droi at Delyth.

Edrychodd y tri dros ysgwydd Rhian a gweld cleddyf a byrllysg ymysg y deunydd canoloesol.

– Ac mae ganddo ysgol sydd wedi'i gwneud o raff. I'r dim, ychwanegodd Emyr.

– Mi ladda i'r diawl, oedd unig sylw Delyth, wrth iddi sylweddoli fod Les wedi cynllwynio'n drwyadl i gymryd rhan ym mrwydr Poitiers heb yn wybod iddi.

– Dwi'n credu dy fod ti yng nghefn ciw eitha hir i wneud hynny, Delyth, meddai Terry, gan feddwl am rai eiliadau cyn ychwanegu, – Reit. Gwrandewch yn astud. Mae gen i gynllun.

Roedd y tri cherbyd arall a ddilynodd yr SUV at *dacha* Boris 'y corryn' Petrovich yn cludo Fabian Defarge ac ugain aelod arfog o adran wrthderfysgaeth heddlu Ffrainc.

Roedd Defarge eisoes wedi gwneud ei ymchwil ar 'y corryn', ac mi sylweddolodd yn gyflym fod yr SUV a gludai'r ddau y tybiai ef mai Terry O'Shea ac Emyr Owen oedden nhw yn teithio at *dacha*'r oligarch. Erbyn i'r SUV arafu ger mynedfa'r safle, roedd Defarge eisoes wedi taro ar gynllun, ar ôl astudio map o'r cyffiniau ar ei i-ffôn.

– Tro i'r dde wrth y goedlan. Mae'r ffordd honno'n arwain at lôn fechan sy'n mynd rownd cefn tir Petrovich, meddai wrth yrrwr y cyntaf o'r tri cherbyd. Trodd hwnnw i'r dde a dilynodd y ddau gerbyd arall ef. Sylwodd gyrrwr y trydydd cerbyd fod car a charafán tua ugain llath y tu ôl iddo wrth iddo droi i ddilyn y ddau gerbyd arall.

Teithiodd y tri cherbyd yn araf ar hyd y lôn fechan oedd yn ffinio â wal gefn y *dacha*. Yn sydyn, hedfanodd hofrennydd uwch eu pennau a glanio yng nghanol tir Petrovich.

– Stopia fan hyn. Rwy'n credu bod rhywbeth mawr ar droed, meddai Defarge, gan droi at un o'r swyddogion oedd yn eistedd o flaen banc o sgriniau y tu ôl iddo.

– Anfona'r drôn i mewn ... ond ddim yn rhy agos, rhag ofn iddyn nhw'i weld, gorchmynnodd. Ddwy funud yn ddiweddarach, roedd drôn bychan yn hofran yn dawel uwchben y wal, yn gwylio Boris 'y corryn' Petrovich yn camu tuag at goedlan gyda Steffan Zelezki a'r ddau swyddog diogelwch, Popov a Tostovski.

– Symuda'r drôn fel ei fod yn dilyn Petrovich ... yn araf, cofia. Pawb i fod yn barod i fynd mewn ... ond ddim eto. Gyda thamaid bach o lwc mi welwn ni bopeth, meddai Defarge, gan wylio lluniau'r drôn o'r pedwar dyn yn brasgamu i gyfeiriad y *dacha*.

Petai'r drôn wedi troi 180 gradd mi fyddai wedi gweld Terry

O'Shea, Emyr Owen a Rhian James yn sefyll ar ben carafán Les a Delyth Welsh, yna'n taflu ysgol raff dros y wal a'i defnyddio i ddringo drosti, cyn dechrau symud yn araf a llechwraidd i gyfeiriad y *dacha*.

Safodd Boris 'y corryn' Petrovich tua ugain llath o fynedfa'r *dacha* gyda deigryn yn ei lygad, wrth iddo syllu ar yr ardd Rwsiaidd roedd wedi'i hadeiladu wrth gefn y bwthyn flwyddyn ynghynt.

– Dwyt ti ddim wedi gweld yr ardd ers imi benderfynu talu teyrnged i un o straeon mawr ein cenedl, wyt ti, Steffan? meddai Boris.

– Diddorol iawn, Boris, meddai Steffan, i geisio plesio'r oligarch.

– Stori Pedr a'r blaidd, eglurodd Boris, gan bwyntio at y cerfluniau deg troedfedd o uchder o Pedr, ei dad-cu, yr hwyaden, y gath, ac wrth gwrs y blaidd, oedd yn sefyll mewn rhes ar un ochr i'r pwll.

Chwythodd Boris ei drwyn yn ei hances boced.

– Mae'n f'atgoffa i o fy mam-gu, fy *Babushka*, oedd yn arfer adrodd y stori imi pan o'n i'n blentyn.

Trodd Steffan a gweld fod Popov a Tostovski ill dau hefyd yn chwythu'u trwynau. Ni ddywedodd air. Roedd e'n hen gyfarwydd â sentimentalrwydd ffug Rwsiaid cefnog fel Boris Petrovich, a allai fod yn filain ac yn galon-galed o ran busnes, ond yna llefain yn ddi-baid wrth gyfeirio at y famwlad.

– Wel, busnes amdani ... fel y byddai'r blaidd yn ei ddweud, meddai Boris wrth stwffio'i hances yn ôl i'w boced. – Arhosa di, Steffan, gyda Popov a Tostovski yn y stafell gefn nes imi alw amdanat ti. Dwi am gael gair cyflym gydag Owen ac O'Shea yn gyntaf.

– Wrth gwrs, Boris, atebodd Zelezki'n ufudd, gan synhwyro

fod gan Boris 'y corryn' Petrovich gynllun nad oedd o'n rhan ohono.

Roedd Terry yn anfodlon pan fynnodd Rhian ei bod yn dod gydag Emyr ac yntau i geisio achub Les ac Al. Ond wrth iddo gropian yn llechwraidd tuag at y goedlan o'u blaenau, sylweddolodd fod Rhian yn fenyw ystwyth iawn. Cafodd ei siomi o'r ochr orau hefyd gan ystwythder Emyr, oedd yn amlwg wedi elwa o ddringo mynyddoedd yr Alban yn ystod ei gyfnod yn fyfyriwr ym Mhrifysgol Caeredin.

Roedd Terry eisoes wedi sylweddoli fod y rhai oedd am gael gafael ar yr arian yn y tegan draig goch wedi camgymryd Les ac Al am Emyr ac yntau gerllaw'r stadiwm pêl-droed yn gynharach y noson honno. Gwyddai fod Les ac Al mewn perygl mawr, ac y byddent mewn mwy fyth o berygl pan fyddai'r herwgipwyr yn sylweddoli nad Terry ac Emyr mohonynt. Yn waeth na hynny, yr unig arfau oedd ganddo ef, Emyr a Rhian heblaw'r dryll oedd cleddyf Les, oedd ym meddiant Terry, byrllysg Les, oedd ym meddiant Emyr, a dau dun o baent chwistrell, oedd yn nwylo Rhian.

Edrychodd Terry ar ei watsh. Toc wedi wyth o'r gloch. Ni fyddai'n nosi am o leiaf awr arall. Doedd ganddo mo'r opsiwn o aros nes iddi dywyllu cyn ymosod ar yr herwgipwyr. Hefyd, ni wyddai faint ohonynt oedd yno. Gwyddai y byddai'n rhaid iddo ddefnyddio'r holl brofiad a gawsai yn Lleng Dramor Ffrainc i fod ag unrhyw obaith o ennill y dydd.

Cyrhaeddodd y tri'r goedlan lle glaniodd yr hofrennydd toc wedi iddynt ddringo'r wal, a gweld bod coedlan arall o'u blaenau. Sylwodd Terry nad oedd unrhyw gamera cylch cyfyng yn y coed, ond byddai'n rhaid i'r tri ohonynt gropian ar eu stumogau am ddau gan llath cyn cyrraedd y goedlan nesaf, gan obeithio nad oedd neb yn eu gwylio.

Roeddent yn ffodus oherwydd roedd y pedwar aelod o staff diogelwch Boris Petrovich y tu mewn i'r *dacha*.

Roedd Popov a Tostovski yn yr ystafell gefn gyda Steffan Zelezki, ac roedd y ddau arall, sef Bashkov a Jamski, yn sefyll o flaen Les ac Al. Eisteddai'r ddau Gymro'n anghyffyrddus ar soffa fechan ym mhrif ystafell y *dacha*. Roedd Jamski eisoes wedi cymryd ffonau symudol Les ac Al oddi wrthynt a'u rhoi ar fwrdd o flaen y soffa, wedi i'r ddau gael eu harchwilio'n drylwyr i sicrhau nad oedd unrhyw arfau yn eu meddiant.

Roedd Les yn cydio'n dynn yn y ddraig goch, gan ddal y tegan o'i flaen fel petai'r ddraig yn mynd i'w hamddiffyn rhag niwed. Edrychodd o gwmpas yr ystafell gan weld lluniau o arwyr Rwsia gan gynnwys Lenin, Yuri Gagarin ac Olga Korbut. Gostyngodd ei lygaid a gweld penddelw Tsar Ifan Arswydus yn eistedd ar fwrdd o'i flaen ac yn syllu'n gas arno.

– Ble mae Delyth? Mi wnaethon nhw addo rhyddhau Delyth petawn i'n rhoi'r tegan draig goch iddyn nhw ... sibrydodd Les wrth Al cyn i Jamski ddweud, yn Saesneg,

– Dim siarad, gan anelu'i wn at ben Les.

– Gad hyn i fi, Les, meddai Al.

– Dim siarad, rhybuddiodd Bashkov y tro yma, gan anelu'i wn at ben Al.

Amneidiodd y ddau â'u pennau, ac am ei fod mor nerfus, symudodd Les ben y ddraig goch hefyd, fel bod honno'n amneidio ar yr un pryd.

Yn sydyn, agorodd drws yr ystafell a chamodd Boris 'y corryn' Petrovich i mewn, gan gyfarch Les ac Al.

– Croeso i fy *dacha* fach gartrefol, Mistar Emyr Owen a Mistar Terry O'Shea, meddai, yn wên o glust i glust.

– Pwy ...? Ond nid ... dechreuodd Les, cyn i Jamski dorri ar ei draws.

– Dim siarad.

Amneidiodd Les a'r ddraig goch unwaith eto.

Daeth sŵn rhywbeth yn cael ei daro o'r ystafell gefn.

– Rwy'n siŵr fod y ddau ohonoch chi am wybod pam ry'ch chi yma. Wrth gwrs, mi roeddech chi, Mistar O'Shea, yn meddwl eich bod wedi dod i Ffrainc i godi 80 cilogram o gafiâr Beluga i'w fewnforio'n anghyfreithlon i Brydain, meddai Petrovich, wrth i Les syllu'n hurt arno. – Dim ond esgus oedd hynny i wneud yn siŵr eich bod yn dod gyda Mistar Owen fan hyn i Ffrainc … ychwanegodd, gan droi at Al.

– Ac roeddech chi, Mistar Owen, yn meddwl eich bod yn cludo'r arian er mwyn ei drosglwyddo i un o gysylltiadau busnes eich ewythr, ar gyfer sefydlu elusen newydd i blant amddifad, meddai'r corryn, cyn mynd yn ei flaen i esbonio'r gwir reswm am y daith i Ffrainc.

Eisteddai Les ac Al fel delwau ar y soffa, heb yngan gair. Gwyddai'r ddau ei bod hi ar ben arnynt. Roedd rhyw ddryswch catastroffig wedi digwydd, a sylweddolodd Al eu bod yn debygol o gael eu lladd yn y fan a'r lle, wedi i Petrovich amlinellu'r cynllun i lofruddio Terry ac Emyr. Gwyddai hefyd na fyddai dweud y gwir o unrhyw fantais iddynt, gan fod y Rwsiad eisoes wedi datgelu gormod o wybodaeth, ac y byddai'n rhaid iddo felly gael gwared arnynt.

Ond doedd Les ddim wedi deall y sefyllfa.

– Os alla i'ch stopio chi yn fanna, syr … beth bynnag yw eich enw …

– Maen nhw'n fy ngalw i'n Boris 'y corryn' Petrovich …

– Mistar Petrovich … rwy'n credu bod 'na ychydig o gamgymeriad wedi digwydd … mae'r arian ym mol y tegan … dechreuodd Les, gan droi'r ddraig o gwmpas ac agor y defnydd blewog. Dechreuodd dynnu'r arian allan, cyn i Al droi ato.

– Cau dy geg, Terry. Rwyt ti wastad yn siarad gormod. Dim siarad, ysgyrnygodd Al, gan geisio achub y sefyllfa.

– Terry? Ond … meddai Les, cyn teimlo esgid chwith Al yn gwasgu'n dynn ar ei droed dde.

Bu tawelwch yn yr ystafell am ennyd, heblaw am y synau a ddeuai o'r ystafell gefn.

– Mae'n flin gen i, Mistar Petrovich. Roeddech chi'n dweud? meddai Al gan wenu. Gwyddai mai eu hunig obaith oedd esgus bod yn Terry O'Shea ac Emyr Owen, gan obeithio y byddai Petrovich yn newid ei feddwl a gadael iddyn nhw fyw. Gwyddai y byddai hi'n bendant ar ben arnynt petai'r corryn yn gwybod nad Terry ac Emyr oedd yn eistedd o'i flaen.

– Peidiwch â phoeni am yr arian, Mistar O'Shea. Dim ond ceiniog a dimai yw arian o'r fath i mi, meddai Petrovich cyn troi at Al. – Fel ro'n i'n dweud, roedd eich ewythr am eich lladd i wneud yn siŵr y byddai e'n etifeddu tair miliwn o bunnoedd, a bod y £27 miliwn arall yn cael ei ddychwelyd i mi. Ond chawsoch chi mo'ch lladd gan Peshkov, Marmeladov a'r Slofaciaid. Mi lwyddoch chi i guddio'r arian ... ac yn well na hynny, mi lwyddoch chi i oresgyn Peshkov a Marmeladov ... dau weithiwr gwych iawn yn eu maes. Symudodd Petrovich yn nes at Al a Les. – Hoffwn i wybod sut wnaethoch chi lwyddo i guddio'r arian ... a beth ddigwyddodd i Peshkov a Marmeladov, meddai.

Rhewodd Al, gan wybod na allai gynnig unrhyw ateb i'r cwestiynau hyn. Yna gwelodd Boris yn camu'n ôl.

– Ond mi all hynny aros am y tro, meddai.

– Beth y'ch chi am imi wneud? gofynnodd Al yn gryg.

– Mae'n syml. Trosglwyddo'r cwmnïau ry'ch chi wedi'u hetifeddu gan eich modryb Ann i mi ... y cwbl. Mi dala i £3 miliwn ichi ... sef yr arian ry'ch chi'n deilwng ohono, meddai Boris.

– Ond pam na wnaethoch chi a fy ewythr ofyn imi wneud hyn ar ôl i Anti Ann farw? gofynnodd Al, gan ddechrau twymo at ei ran fel Emyr Owen.

– Am fod eich Wncwl Steffan yn meddwl eich bod yn fachgen ... sori ... yn ddyn oedd ag egwyddorion, a fyddai'n creu trafferth trwy ofyn cwestiynau anodd am ein dulliau busnes amheus ... ac efallai am fod Wncwl Steffan yn meddwl nad o'n i'n gwybod ei fod wedi trosglwyddo £5 miliwn o'r arian sy'n ddyledus i mi i'w gyfrifon ei hun cyn i'ch modryb farw. Mi allai

Wncwl Steffan fod wedi'ch beio chi am ddwyn y £5 miliwn ar ôl ichi gael eich lladd, pan fyddai'n rhy hwyr ichi allu gwadu hynny. Ond yn ffodus i chi, Mistar Owen, yn ystod y diwrnodau diwethaf, mae fy nghyfrifwyr wedi darganfod mai Wncwl Steffan sydd wedi dwyn y £5 miliwn. Dyn drwg. Twt twt, meddai Petrovich, gan droi a cherdded at y drws. – Ond pam na ofynnwch chi am esboniad gan y dyn ei hun? ychwanegodd, gan agor y drws.

Aeth Al yn chwys oer drosto, oherwydd gwyddai y byddai popeth ar ben unwaith y cerddai Steffan Zelezki i mewn trwy'r drws.

74.

Roedd Terry, Emyr a Rhian wedi cyrraedd y goedlan a amgylchynai'r *dacha*, gan weld y pwll a'r cerfluniau oedd rhyngddynt a'r adeilad.

Sibrydodd Terry wrth y ddau arall y dylent gropian ar eu boliau o amgylch y pwll, fesul un, cyn cuddio y tu ôl i'r cerfluniau o Pedr, ei dad-cu, yr hwyaden, y gath a'r blaidd. Roedd y cerflun olaf yn y rhes, sef y blaidd, ugain llath yn unig o gefn y tŷ.

Roedd Terry'n weddol hyderus eu bod wedi cyrraedd cefn y tŷ heb gael eu gweld, ond wrth iddo swatio y tu ôl i'r cerflun o Pedr, clywodd sŵn gwan uwch ei ben. Cododd ei olygon a gweld drôn yn closio'n araf at y tŷ, yna'n hofran y tu allan i un o'r ffenestri.

Tybiai fod y drôn yn rhan o system ddiogelwch y bwthyn. Ond os felly, pam oedd camera'r drôn yn wynebu'r bwthyn, meddyliodd, cyn dechrau cropian tuag at y cerflun o'r gath. Trodd a gweld bod Emyr wedi dechrau cropian tuag at y cerflun o Pedr a bod Rhian yn anelu am y cerflun o'r hwyaden.

Rhegodd y Prif Arolygydd Fabian Defarge yn uchel. Roedd wedi gwylio'r drôn yn nesáu'n araf at y bwthyn, cyn hofran y tu allan i un o ffenestri'r *dacha*. Ond roedd Boris Petrovich wedi gwneud yn siŵr na fyddai unrhyw un nac unrhyw beth yn gallu gweld trwy ffenestri'r adeilad trwy osod ffenestri oedd wedi'u tywyllu.

– Symuda'r drôn o amgylch yr adeilad. Falle bod un o'r ffenestri eraill yn glir, meddai Defarge, gan wybod y byddai'n rhaid iddo benderfynu'n fuan pryd i anfon ei ddynion i mewn i arestio'r cynllwynwyr.

76.

Ond nid cerdded trwy'r drws wnaeth Steffan Zelezki, ond cael ei lusgo trwyddo gan Popov a Tostovski. Roedd bron â bod yn anymwybodol, ac roedd ei wyneb yn waedlyd a chwyddedig yn dilyn y gweir a gafodd gan Popov a Tostovski yn yr ystafell gefn.

– Dweda helô wrth dy nai, Steffan, meddai'r corryn, wrth i Popov a Tostovski daflu corff llipa Steffan i gadair oedd gyferbyn â'r soffa lle eisteddai Al a Les.

Gwelodd Steffan ddau ddyn anghyfarwydd yn edrych arno. Roedd un ohonyn nhw'n dal y tegan draig goch a roddodd i'w nai ddeng niwrnod ynghynt. Roedd y llall, dyn ifanc gyda barf drwchus, yn syllu arno, a'i lygaid yn llawn braw.

Ceisiodd ddweud nad Emyr oedd yn eistedd o'i flaen, ond ni allai ynganu'r geiriau'n glir oherwydd ei anafiadau. O ganlyniad, yr unig air a glywodd Petrovich oedd 'Emyr'.

Trodd at Popov a Tostovski.

– Ewch i'r ardd i baratoi'r cerflun, meddai. Amneidiodd y ddau i gytuno, gan adael y *dacha* i orffen paratoi gorweddfan olaf Steffan Zelezki.

Roedd Terry wedi cropian y tu ôl i'r cerflun o dad-cu Pedr ac roedd Emyr wedi cyrraedd y cerflun o Pedr, pan ddechreuodd Rhian gropian ar ei bol tuag at y cerflun o'r gath. Roedd hi hanner ffordd yno pan gafodd ei dallu am eiliad wrth i olau ddod ymlaen ger cefn y tŷ, gan oleuo'r pwll a'r cerfluniau. Cododd ei phen a gweld Popov a Tostovski'n dod allan o'r bwthyn ac yn cerdded tuag ati. Doedd dim amser i guddio, felly cododd ar ei thraed yn gyflym a sefyll ar osgo arwrol Mam Rwsia, gan estyn ei braich i'r awyr fel cerflun neo-realaidd o gyfnod yr Undeb Sofietaidd.

Safodd y ddau Rwsiad yn stond o'i blaen.

– Pryd brynodd e hon? gofynnodd Popov.

– Dim syniad. Dwi ddim yn cofio sylwi ar y cerflun pan gyrhaeddon ni gynnau chwaith, meddai Tostovski, wrth i'r ddau glosio at Rhian.

– Mae'n un da. Naturiol iawn. Mae'n un anarferol hefyd, gyda Mam Rwsia'n dal dau dun o baent ...

– Ie ... dychan chwareus ar ddelweddau eiconig y morthwyl a'r cryman. Wyt ti'n adnabod y cerflunydd?

– Na. Ond mae'r corryn mwy na thebyg wedi talu crocbris amdano. Mae'r llygaid yn wych. Manylder anhygoel, meddai Popov gan fynd at agosach fyth at Rhian, oedd erbyn hyn wedi bod yn dal ei hanadl am dros funud.

Wrth iddi syllu'n syth o'i blaen, gwelodd fod Emyr a Terry wedi symud o'u cuddfannau ac wedi cropian yn araf ar hyd y glaswellt ger ymyl y pwll, nes eu bod yn sefyll y tu ôl i Popov a Tostovski.

Safodd Popov a Tostovski'n syfrdan pan welson nhw Rhian yn troi ei phen yn araf i edrych arnyn nhw. Cyn iddyn nhw gael cyfle i estyn am eu drylliau roedd Rhian wedi chwistrellu'r ddau yn eu llygaid gyda'r paent, cyn i Tostovski gael ei daro'n anymwybodol gan Emyr gyda byrllysg Les Welsh, ac i Popov gael ei daro ar ei ben gan Terry â charn cleddyf Les.

Gwingodd Popov mewn poen wrth i Terry droi braich y Rwsiad y tu ôl i'w gefn.

– Gwranda'n astud. Dwi am wybod pwy sydd yn y bwthyn a beth yw eu henwau ... deall? meddai Terry yn Rwsieg, wrth i Popov amneidio â'i ben orau y gallai.

78.

Roedd wyneb y Prif Arolygydd Fabian Defarge yn llawn syndod wrth iddo wylio lluniau'r drôn o Rhian, Terry ac Emyr yn goresgyn Popov a Tostovski yng ngardd gefn y *dacha*.

– Paratowch i fynd i mewn, meddai, wrth i Rhian, Emyr a Terry glymu Popov a Tostovski at y cerfluniau o'r gath a'r hwyaden, cyn cymryd eu drylliau a cherdded yn araf i gyfeiriad y *dacha*.

Y tu mewn i'r bwthyn, trodd Petrovich at Emyr.

– Ydych chi'n gyfarwydd â stori Pedr a'r blaidd, Mistar Owen? gofynnodd.

– Nag ydw, atebodd Al.

– Dwi'n gyfarwydd â'r stori, Mistar Petrovich. Mi wnes i'r propiau a'r setiau llwyfan ar gyfer perfformiad gan gerddorfa'r ysgol rhyw ugain mlynedd yn ôl, meddai Les yn eiddgar. Griddfanodd Al yn isel.

– Diddorol. Diddorol iawn. Roeddech chi'n athro cyn ymuno â'r Lleng Ffrengig, Mistar O'Shea? gofynnodd Petrovich.

– Oeddwn, atebodd Les, wrth i Al sathru ar ei droed dde unwaith eto.

– Ydych chi'n cofio bod yr hwyaden wedi anwybyddu cyngor Pedr, ac wedi cael ei llyncu'n fyw gan y blaidd?

– Ydw. Ydw wir, Mistar Petrovich, atebodd Les wrth i Al sathru'n galetach.

– ... ac ydych chi'n cofio'r diwedd? Os wrandewch chi'n ofalus iawn, mi allwch chi glywed yr hwyaden yn cwacian y tu mewn i fol y blaidd, am fod y blaidd wedi'i llyncu hi'n fyw.

Penderfynodd Les beidio ymateb.

– Wel, Mistar O'Shea. Dyna fydd yn digwydd i'r hwyaden fach hon, meddai Petrovich, cyn ychwanegu y byddai Steffan yn cael ei gau i mewn yn y cerflun o'r blaidd oedd yn yr ardd.

– Y cwestiwn pwysig, wrth gwrs, yw a fydd e ar ei ben ei hun ar ddiwedd y nos? meddai, gan ddynodi y dylai Al godi o'i sedd ac ymuno ag ef yr ochr arall i'r ystafell.

Tynnodd Petrovich sawl darn o bapur ac ysgrifbin allan o ddrôr y ddesg oedd o'i flaen a'u gosod ar wyneb y ddesg.

– Beth yw hyn? gofynnodd Al.

– Cytundeb fydd yn sicrhau y gallwch chi gadw £3 miliwn ar ôl trosglwyddo gweddill y busnesau a etifeddoch chi gan eich modryb i mi. Arwyddwch y ddogfen, Mistar Owen. Does dim dewis gennych chi. Mae'n gynnig hael iawn, meddai Petrovich.

Cododd Al yr ysgrifbin ac arwyddo'r ddogfen yn gyflym.

– Diolch yn fawr, meddai Petrovich, gan roi'r dogfennau ym mhoced ei gôt.

– Allwn ni fynd nawr? gofynnodd Al.

– Na. Mae angen ichi wneud un peth arall, mae gen i ofn. Mi soniais i wrth eich ewythr am un o fy hoff ddyfyniadau yn gynharach heno, Mistar Owen. Un gan Josef Stalin: 'Mae cael gwared â'r dyn yn cael gwared â'r broblem'. Fis yn ôl, ro'n i'n meddwl mai chi oedd y broblem, ond nawr rwy'n sylweddoli mai eich ewythr yw'r broblem, meddai Petrovich, gan dynnu dryll o'i boced a'i roi yn llaw Al.

– Mae'n flin gen i am hyn, Mistar Owen ... ond os ydyn ni am gael perthynas fusnes, mae gen i ofn mai chi fydd yn gorfod lladd eich ewythr.

– A beth fydd yn digwydd os wrthoda i wneud hynny? gofynnodd Al yn grynedig. Cafodd yr ateb pan dynnodd Petrovich ddryll arall o boced ei gôt a'i bwyntio at ben Al.

– Mi fydda i'n eich saethu chi a Mistar O'Shea, atebodd Boris. – Peidiwch â meddwl ceisio fy saethu i oherwydd mae drylliau Bashkov a Jamski wedi'u hanelu at eich pen chi, meddai, gan wenu'n filain.

Edrychodd Al i fyw llygaid Steffan Zelezki gan ddechrau codi'r dryll yn araf.

Yn sydyn, daeth sŵn o'r ystafell arall, a llais dyn yn gweiddi yn Rwsieg fel petai rhywun yn ymosod arno. Cipiodd Petrovich y dryll o law Al a gorchymyn Bashkov a Jamski i fynd i weld beth oedd yn digwydd. Rhuthrodd y ddau allan trwy'r drws. Eiliad yn ddiweddarach clywyd sŵn taro, cyn i bopeth fynd yn dawel.

– Bashkov! Jamski! Beth sy'n digwydd? gwaeddodd Petrovich yn bryderus, gan gamu am yn ôl a phwyntio un dryll i gyfeiriad Al a Steffan Zelezki, a'r llall at y soffa lle'r oedd Les a'r ddraig goch yn eistedd fel delwau.

Yna gwelodd fod rhywun yn sefyll wrth y drws yn dal dryll.

– Rhowch y drylliau ar y llawr, Petrovich, meddai Terry O'Shea.

Trodd Petrovich i wynebu'r dyn, ond cyn iddo benderfynu beth i'w wneud nesaf, roedd Terry wedi tanio'i ddryll gan daro llaw dde'r Rwsiad. Gwingodd hwnnw mewn poen wrth iddo ollwng ei ddryll. Llithrodd yr arf ar draws llawr yr ystafell cyn dod i stop rhwng Steffan Zelezki ac Al.

– Iawn, iawn … gwaeddodd Petrovich, gan roi'r dryll arall ar y llawr wrth i'r gwaed ddechrau llifo o'i law dde. Cymerodd gam yn ôl a phwyso yn erbyn un o'r silffoedd llyfrau oedd ar hyd wal yr ystafell.

Trodd Terry i wynebu'r drws.

– Iawn. Mae'n ddiogel. Dewch i mewn, meddai'n dawel wrth Rhian ac Emyr.

Ond yn y ddwy eiliad honno pan drodd Terry ei lygaid at y drws, llwyddodd Steffan Zelezki i fagu digon o nerth i godi'r dryll oddi ar y llawr, codi o'i sedd a rhoi ei fraich o amgylch gwddf Al. Anelodd y dryll at Terry, wrth i Emyr a Rhian gerdded i mewn i'r ystafell.

– Drylliau … ar y llawr, meddai Zelezki'n wan, gan sylweddoli ei fod wedi defnyddio gweddill ei egni i ynganu'r geiriau hynny.

Rhoddodd Emyr a Terry eu drylliau ar y llawr gan weld bod

Petrovich wedi symud yn araf allan o olwg Steffan Zelezki ar hyd y silff lyfrau gyda'i ddwylo yn yr awyr, ond gan edrych dros ei ysgwydd. Edrychai fel petai'n chwilio am lyfr, meddyliodd Terry.

– C...nychu ... Ann ... haeddu marw, meddai Steffan yn ddryslyd, gan anghofio am bresenoldeb Boris Petrovich am eiliad ac anelu'r dryll at frest Terry.

Siglodd Terry ei ben.

Erbyn hyn roedd Les wedi sylweddoli mai'r dyn oedd yn ceisio'i achub ef ac Al oedd Terry O'Shea. Hwn oedd y dyn roedd Delyth wedi'i ddisgrifio fel y *Poursuivant d'Amour* yn Bordeaux. Os felly, y dyn gerllaw iddo oedd Owain Lawgoch, meddyliodd Les, oedd wedi dechrau colli arni oherwydd ei ofn. Roedd Les wedi treulio oes yn esgus bod yn arwr. Ond nawr gwelodd ei gyfle i helpu ei gyd-wladwyr mewn sefyllfa beryglus go iawn. Penderfynodd fod yn rhaid iddo geisio achub y ddau arwr oedd wedi ceisio'i achub ef. Teimlai ei galon Gymreig yn curo'n gyflym wrth iddo ddechrau codi ar ei draed.

Gwelodd Emyr a Terry fod Les wedi codi'n araf oddi ar y soffa ac wedi dechrau camu'n llechwraidd tuag at Steffan, oedd yn amlwg wedi anghofio bod Les yno.

Penderfynodd Terry geisio hoelio sylw Steffan wrth i Les glosio'n araf tuag at ei fòs.

– Na, Steffan. Do'n i ac Ann ddim yn gariadon ... ro'n i'n caru ei chwaer hi ... fi yw tad Emyr. Nawr rhowch y dryll 'na lawr, ac mi allwn ni drafod popeth, meddai Terry, wrth i Les godi penddelw Tsar Ifan Arswydus oddi ar y bwrdd ger y soffa a chamu'n nes at Steffan.

Gwenodd Zelezki'n sur.

– Gwir neu ddim. 'Sdim ots rhagor. Dweda ta ta wrth dy fab ... meddai Steffan, gan droi'r dryll a saethu Emyr yn ei frest.

Syrthiodd hwnnw i'r llawr.

Anelodd y dryll at Terry, ond cyn iddo allu saethu eto, roedd Les wedi'i daro ar ei ben gyda'r penddelw.

Syrthiodd Zeleszki i'r llawr yn anymwybodol.

Cipiodd Al y dryll o'i law cyn troi a syllu ar gorff Emyr oedd yn gorwedd yn gelain ar y llawr.

Trodd stumog Les wrth sylweddoli ei fod wedi methu ag achub bywyd yr Owain Lawgoch newydd.

Erbyn hyn roedd Rhian a Terry'n sefyll dros gorff Emyr. Ond cafodd Al a Les sioc o weld Emyr yn codi ar ei eistedd a gwenu arnyn nhw, cyn tynnu'i grys dros ei ben i ddatgelu dwyfronneg fetel ganoloesol Les.

– Fy nwyfronneg i yw hi! gwaeddodd Les. – Lwcus 'mod i wedi talu am yr haearn gorau cyn i flwyddyn 13 dreulio tri mis yn ei chreu i mi, ychwanegodd.

Ond ni chawsant gyfle i ddathlu, a chafodd Emyr ddim cyfle i ymateb i honiad syfrdanol Terry ei fod yn dad iddo, oherwydd ymhen eiliad neu ddwy clywsant lais yn siarad â nhw o'r tu allan i'r bwthyn drwy uchelseinydd.

– Boris Petrovich ... Yr Emir ... Al-Kebab ... ry'n ni'n gwybod eich bod chi yn y bwthyn. Dewch allan gyda'ch dwylo yn yr awyr. Rydych chi wedi'ch amgylchynu. Does dim modd ichi ddianc, meddai'r llais yn Ffrangeg cyn ailadrodd y neges yn Rwsieg.

Trodd y pump i gyfeiriad Boris Petrovich. Ond roedd hwnnw wedi diflannu.

Roedd Terry'n iawn pan feddyliodd fod Petrovich yn chwilio am lyfr ynghynt. Roedd y Rwsiad wedi adeiladu twnnel cudd y tu ôl i'w silff lyfrau, rhag ofn i'w elynion geisio'i faglu yn ei ffau. Yr unig ffordd o agor y twnnel oedd gwasgu ar y copi o Doctor Zhivago oedd ar y drydedd silff. Roedd Petrovich wedi llwyddo i wneud hynny ddeng eiliad ynghynt, heb i neb sylwi. Erbyn hyn roedd y silff wedi dechrau cau ar ei ôl.

– Dilynwch e ... drwy'r silff lyfrau! gwaeddodd Terry, gan ruthro ar draws yr ystafell a llwyddo i ddal y drws ar agor nes i bawb redeg trwyddo. Rhedodd Les at y soffa a chodi'r tegan draig goch, cyn rhuthro heibio i Terry, yr olaf i fynd trwy'r drws cudd.

Roedd y twnnel yn un cul, 200 llath o hyd, ond deuai rhywfaint o olau o'i ben pellaf. Cyrhaeddodd y pump y pen arall, cyn dringo ysgol ddeg llath o uchder. Emyr oedd y cyntaf i gyrraedd y brig, ac wrth iddo wneud hynny, sylweddolodd fod y twnnel yn dod i ben yng nglanfa hofrenyddion Boris Petrovich. Gwelodd fod hofrennydd Boris newydd ddechrau codi i'r awyr. Oherwydd y gwynt a grëwyd gan y llafnau, bu'n rhaid i Emyr gilio'n ôl am ennyd cyn i'r hofrennydd godi dros y bwthyn. Neidiodd allan a rhedeg at y rhan o'r wal roedd Terry, Rhian ac yntau wedi'i dringo o do'r garafán awr ynghynt. Eiliadau'n ddiweddarach roedd y pedwar arall wedi dilyn Emyr i fyny'r ysgol raff a thros y wal, i ymuno â Delyth, oedd yn aros amdanynt yn y Citroën Xsara Picasso.

79.

Roedd Fabian Defarge yn hyderus ei fod wedi dal yr Emir, aelodau Al-Kebab a Boris Petrovich wrth iddo ef ac ugain aelod arfog o adran wrthderfysgaeth Ffrainc amgylchynu'r bwthyn. Roeddent eisoes wedi datod y rhaffau oedd yn clymu Popov a Tostovski at y cerfluniau, cyn eu harestio ar sail amheuaeth iddynt werthu arfau i grŵp terfysgol.

Ond diflannodd hyder Defarge pan welodd yr hofrennydd yn codi i'r awyr ryw ddau gan llath i ffwrdd.

– Anfona'r drôn i ddilyn yr hofrennydd, cyfarthodd dros y ffôn wrth y swyddog oedd yn rheoli'r teclyn o'r cerbyd oedd wedi'i barcio ger wal gefn y *dacha*.

– Reit, i mewn â ni ... meddai, gan arwain ei ddynion i mewn i'r bwthyn lle'r oedd Bashkov a Jamski wedi'u clymu yn y gegin, a Steffan Zelezki'n gorwedd yn anymwybodol yn yr ystafell arall.

– Ble mae'r gweddill? Ble mae Petrovich? Ble mae Terry O'Shea ac Emyr Owen ... a ble mae'r tri oedd yn yr ardd? gofynnodd Defarge yn wyllt, cyn clywed y swyddog oedd yn rheoli'r drôn yn cysylltu ag ef ar ei ffôn.

– Mae'r drôn wedi gweld rhywbeth, syr. Pobl yn dringo dros y wal. Maen nhw wedi neidio ar ben carafán ... sy'n cael ei thynnu gan gar ... gyda chennin plastig wedi'u clymu ar y to ... meddai'r swyddog.

– Cennin?

– Ie. Cennin.

– Anghofia am yr hofrennydd. Symuda'r drôn fel dy fod yn gweld rhif cofrestru'r car, mynnodd Defarge.

– O'r gorau ... o na! meddai'r swyddog.

– Beth?

– Mae'r dyn olaf i ddringo'r wal wedi saethu'r drôn ...

Griddfanodd Defarge, gan ystyried am eiliad.

– Does dim ots. Petawn i yn eu lle nhw mi fyddwn i'n cael gwared â'r garafán cyn gynted â phosib ac yn ceisio diflannu ymysg y traffig trwm fydd yng nghanol Toulouse heno. Cysyllta â'r heddlu yn Toulouse a gofynna iddyn nhw chwilio am gerbyd sydd â chennin ar y to yn y ddinas, meddai. Trodd a gweld bod Steffan Zelezki yn dechrau dod ato'i hun. Camodd draw ato a siglo'i ysgwyddau.

– Ble mae'r Emir? Ai chi yw'r Emir? ysgyrnygodd Defarge.

– Emyr? Na ... Emyr yw fy nai ... ei fai ef yw popeth, meddai Steffan Zelezki'n wan.

80.

Erbyn diwedd gêm Cymru yn erbyn Rwsia toc cyn un ar ddeg o'r gloch y noson honno, roedd yr adran gwasanaethau gwrthderfysgaeth wedi anfon ugain drôn i'r awyr i chwilio am gar gyda chennin ar y to.

Roedd Fabian Defarge wedi dechrau ar y broses o holi Popov, Tostovski, Bashkov, Jamski a Steffan Zelezki pan ganodd ei ffôn. Cododd ei galon pan glywodd swyddog yn dweud.

– Ry'n ni wedi'u dala nhw, syr ... pump yn y car ... yn ceisio gadael y ddinas.

– Gwych. Cadwch nhw yn y ddalfa tan y bore.

Ond suddodd calon Defarge yn ystod yr awr ganlynol, pan dderbyniodd hanner dwsin o alwadau tebyg yn dweud bod yr heddlu wedi arestio pobl oedd yn gyrru cerbydau gyda chennin ar y to. Ymhen amser, mi ddaeth hi'n amlwg bod nifer fawr o ddilynwyr rygbi Cymru wedi teithio i Toulouse i gefnogi'r tîm pêl-droed, a bod gan lawer ohonynt gennin ar do'u cerbydau.

Cludwyd Steffan Zelezki i ysbyty Toulouse ac roedd wedi adfywio digon i ateb cwestiynau Defarge y bore canlynol. Dywedodd nad oedd wedi clywed am y grŵp terfysgol Al-Kebab. Cadarnhawyd y dystiolaeth honno pan gafodd y pedwar Rwsiad eu holi ym mhrif orsaf yr heddlu yn Toulouse.

Roedd Steffan Zelezki yn ddigon craff i geisio achub ei groen ei hun, wedi iddo glywed am amheuon yr heddlu ynghylch y cynllun i werthu arfau i grŵp terfysgol. Dywedodd ei fod wedi teithio i Ffrainc am ei fod yn poeni bod ei nai, Emyr Owen, yn rhan o gynllun o'r fath gyda Boris 'y corryn' Petrovich.

– ... ond yn ôl yr hyn ry'ch chi'n ei ddweud, Monsieur Defarge, mae'n amlwg bod Emyr a Petrovich wedi cydweithio i werthu arfau i'r grŵp terfysgol hwn, Al-Kebab, meddai. – Ro'n i'n amau bod rhywbeth o'i le, ond cefais fy arteithio gan Petrovich ac Emyr am geisio'u hatal rhag torri'r gyfraith ... ychwanegodd, gan feddwl y gallai fynd ati i hawlio etifeddiaeth Emyr unwaith y byddai hwnnw'n cael ei arestio.

– Ydych chi'n adnabod y bobl a ddihangodd yng nghwmni Monsieur Owen? gofynnodd Defarge.

– Ydw ... un ohonyn nhw oedd Terry O'Shea, sef swyddog diogelwch Emyr. Dyn milain iawn. Mae'n bosib bod y gweddill yn perthyn i'r grŵp Al-Kebab, atebodd Steffan. Os lwyddwch chi i ddod o hyd i Emyr Owen a Terry O'Shea, mi ddowch chi o hyd i'r gweddill.

– Peidiwch â phoeni, mi ddown ni o hyd iddyn nhw, meddai Fabian Defarge.

81.

Erbyn hanner dydd roedd yr heddlu wedi dechrau ar y broses o chwilio am Emyr, Terry a'r gweddill. Awr yn ddiweddarach, cafodd Fabian Defarge wybod bod Boris 'y corryn' Petrovich wedi hedfan dros ddau gan milltir yn ei hofrennydd cyn glanio mewn maes awyr preifat yng ngogledd Sbaen y noson cynt. Ond doedd dim gwybodaeth bellach am ei leoliad.

Y peth cyntaf a wnaeth Petrovich ar ôl cyrraedd gogledd Sbaen oedd talu am feddyg preifat i drin yr anaf ar ei law dde, cyn gwneud galwadau ffôn brys i'w gysylltiadau yn Rwsia. Cynigiodd gyfrannu'n hael at goffrau unigolion yn y llywodraeth er mwyn sicrhau ei fod yn cael ei gludo mewn awyren breifat yn ôl i'w famwlad, cyn gynted â phosib.

Roedd yn eistedd yn ystafell fyw ei gartref dros dro yn St Petersburg 24 awr yn ddiweddarach. Bu wrthi'n brysur yn trefnu i drosglwyddo rhai o'r cwmnïau Rwsiaidd yr oedd yn berchen arnynt i Lywodraeth Rwsia yn dâl am ei ryddid.

Cofiodd Petrovich fod Emyr Owen wedi trosglwyddo'i gwmnïau iddo cyn i'r heddlu gyrraedd y *dacha*. Diolchodd ei fod wedi llwyddo i adennill y £27 miliwn yn ystod y gyflafan, o leiaf.

Tynnodd y ffurflenni roedd Al Edwards wedi'u harwyddo o boced ei gôt. Doedd y llofnod ddim yn edrych fel un Emyr Owen. Edrychodd Petrovich arno mewn penbleth. Edrychai'n debycach i'r geiriau 'Oli Octopws'. Rhegodd, gan wybod ei fod wedi'i dwyllo ac y byddai'n rhaid iddo ddod o hyd i Emyr Owen eto er mwyn cael ei ddwylo ar y £27 miliwn.

Gyrrodd Delyth y Citroën Xsara Picasso a'r garafán i mewn i dref fechan Aubagne, nid nepell o ddinas Marseille ar arfordir deheuol Ffrainc, toc wedi tri o'r gloch y bore. Roeddent wedi teithio 250 milltir ar hyd ffyrdd eilradd de Ffrainc, gan osgoi dinasoedd Béziers, Montpellier a Marseille.

Roedd Delyth a Les wedi rhannu'r baich o yrru pellter mor faith. Eisteddai Terry ac Emyr yng nghefn y car, tra cysgai Al a Rhian yn y garafán.

Bu dechrau'r daith yn dawel yn y car, wedi i Terry roi cyfarwyddiadau i Delyth i ddilyn y ffyrdd bychain o Toulouse i Carcasonne yn y de. Roedd Terry eisoes wedi symud y cennin oddi ar do'r car, gan wybod y byddai'r drôn mwy na thebyg wedi'u gweld cyn iddo'i saethu.

Bu'n rhaid i Terry feddwl yn ddwys am y sefyllfa ar ôl i Les ddweud wrtho fod Boris Petrovich wedi camgymryd Al ac yntau am Terry ac Emyr, cyn esbonio cynllun Zelezki a Petrovich i lofruddio Terry ac Emyr.

Sylweddolodd hefyd fod adran wrthderfysgaeth Ffrainc, rywfodd, wedi gwrando ar y sgwrs ffôn rhwng Emyr a Les ac Al. Gan fod Emyr wedi cyfeirio ato'i hun fel 'Yr Emir', tybiai fod y Ffrancwyr wedi casglu fod Emyr, Les ac Al yn rhan o weithred derfysgol oedd yn gysylltiedig â Boris Petrovich. Yn ogystal, byddai'r heddlu'n siŵr o fod yn gwybod pwy oedd Emyr ac yntau erbyn hyn, ar ôl holi Steffan Zelezki, a byddent wrthi'n chwilio amdanyn nhw.

– Ble y'n ni'n mynd? gofynnodd Delyth, ar ôl i Les adrodd ei stori.

– Ardal Marseille. Mi esbonia i pan gyrhaeddwn ni yno, atebodd Terry.

– A sut y'n ni'n mynd i osgoi cael ein harestio am fod yn derfysgwyr? gofynnodd Emyr.

– Mae'n mynd i fod yn anodd i ti a fi ddianc, am fod Steffan yn gwybod pwy ydyn ni. A dwi'n siŵr y bydd e'n gwneud ei orau glas i ddial arnon ni, ond does neb yn nabod Les, Delyth, Al a Rhian, atebodd Terry.

– Mae'n bosib bod yr heddlu'n gwybod fy rhif ffôn i, os wnaethon nhw dapio galwad Emyr yn Clermont-Ferrand, meddai Delyth.

– Digon gwir, meddai Les yn benisel.

– Pryd brynest ti'r ffôn? gofynnodd Terry, cyn i Delyth esbonio iddi brynu dau ffôn talu wrth alw yn Bordeaux am fod Les mor gybyddlyd.

– Sut wnest ti dalu amdanyn nhw a pwy wyt ti wedi'u ffonio ar ôl eu prynu nhw?

Atebodd Delyth ei bod wedi talu am y ffonau gydag arian parod yn Bordeaux ac mai dim ond Les roedd hi wedi'i ffonio ers hynny ar y ffôn hwnnw.

Gwenodd Terry, cyn esbonio bod yr hyn a wnaeth Delyth yn Bordeaux yn golygu na fyddai'r heddlu'n gallu cysylltu Delyth a Les mewn unrhyw ffordd â'r ffonau symudol.

– Rwy'n dal i gredu y dylen ni fynd at yr heddlu ac esbonio popeth, meddai Les.

– Mae hynny'n dibynnu ar Steffan Zelezki. Mi fydd e'n gwneud yn siŵr fy mod i ac Emyr yn cael ein fframio am ryw drosedd neu'i gilydd ... ac mae'n dibynnu a wyt ti am ddal dy afael ar y 200,000 Ewro sydd yn y ddraig goch, Les, meddai Terry.

– Beth yw dy gynllun, Terry? meddai Les yn eiddgar.

– Dwi'n credu bod 'na ffordd i fi ac Emyr osgoi cael ein dal, ac i ti, Delyth, Al a Rhian gyrraedd adre'n ddiogel. Ond mae'r cynllun yn dibynnu arnat ti, Emyr. Wyt ti'n dal yn awyddus i ymuno â'r fyddin? gofynnodd Terry, gan droi at Emyr.

– Mi ateba i dy gwestiwn di ar ôl i ti ateb fy nghwestiwn i. Wyt ti'n dad i mi? gofynnodd Emyr.

Treuliodd Terry O'Shea yr awr nesa'n esbonio i Emyr pam nad oedd wedi dweud wrtho mai ef oedd ei dad.

– Ro'n i'n foi byrbwyll pan o'n i'n ifanc, Emyr. Byrbwyll iawn, a dweud y gwir. Ro'n i'n meddwl y byd o dy fam ac mewn cariad â hi. Ond ro'n i'n rhy wyllt ac anaeddfed i gynnal perthynas. Felly penderfynodd dy fam ddod â'r berthynas i ben, ac mi dorrais i 'nghalon. Penderfynais ymuno â'r Lleng Dramor Ffrengig er mwyn ceisio anghofio amdani, meddai.

Ychwanegodd ei fod wedi treulio'r pymtheng mlynedd ganlynol yn filwr, heb wybod dim am hanes ei gyn-gariad. Ond pan adawodd y Lleng bum mlynedd yn ôl, cafodd ei chwilfrydedd y gorau arno, a dechreuodd chwilio am fam Emyr wedi iddo ddychwelyd i Brydain.

– Cefais wybod bod dy fam wedi marw rai blynyddoedd ynghynt ... ond bod ganddi blentyn ... a anwyd saith mis ar ôl i'n perthynas ni ddod i ben, eglurodd Terry. – Cofiais fod gan dy fam chwaer hŷn, Ann, oedd wedi priodi a symud i fyw i Lundain, ychwanegodd, cyn adrodd sut y daeth o hyd i Ann Zelezki a chysylltu â hi dros y ffôn.

Cyfarfu'r ddau mewn caffi bach yng nghanol Llundain, a chadarnhaodd Ann mai Terry oedd tad Emyr, a bod ei chwaer wedi cael bywyd anodd wedi iddi benderfynu magu'r plentyn ar ei phen ei hun. Roedd hi wedi penderfynu peidio â dweud wrth ei mab pwy oedd ei dad, gan esgus mai canlyniad perthynas unnos ydoedd. Yn ôl Ann, doedd ei gŵr, ychwaith, ddim yn gwybod mai Terry oedd tad Emyr. Dim ond dwy flynedd ar ôl i Emyr gael ei eni y dechreuodd Ann ganlyn Steffan Zelezki, a phriododd ef flwyddyn yn ddiweddarach. Roedd Steffan, hefyd, ar ddeall mai cynnyrch perthynas unnos oedd Emyr.

Doedd Ann ddim yn fenyw ddialgar, a sylweddolai nad oedd bai ar Terry am beidio â gwybod bod ganddo fab. Cytunodd y ddau y gallai Terry ddod i adnabod Emyr ar yr amod na fyddai'n datgelu mai ef oedd ei dad, oni bai bod Emyr yn gofyn y cwestiwn hwnnw.

Oherwydd ei gysylltiadau busnes amheus, roedd hi'n hanfodol bod Steffan Zelezki'n cyflogi pobl i'w warchod ef a'i wraig. Bachodd ar y cyfle i gyflogi Terry, yn bennaf oherwydd ei brofiad yn Lleng Dramor Ffrainc, ond hefyd am ei fod yn siarad Cymraeg.

Cafodd Terry, felly, gyfle i ddod i adnabod Emyr yn ystod y cyfnodau prin hynny y byddai'n eu treulio yn ystod y gwyliau yng nghwmni ei fodryb yn Llundain neu Monaco.

– A dyna ni. Dwi ddim yn haeddu bod yn dad i ti ... ond o leia rwyt ti'n gwybod nawr, meddai Terry, wrth i'r dagrau lifo i lawr bochau Emyr.

Hanner awr yn ddiweddarach, roedd y Citroën Xsara Picasso wedi cyrraedd tref Aubagne. Dilynodd Delyth gyfarwyddiadau Terry, gan yrru'r car ar hyd lonydd bychain at bencadlys y Lleng Ffrengig.

– Pam y'n ni 'ma? gofynnodd Les.

– Oherwydd mai'r unig ffordd y galla i osgoi cael fy arestio am guddio £27 miliwn er mwyn osgoi talu trethi, yn ogystal ag unrhyw gyhuddiadau eraill y bydd Wncwl Steffan yn eu creu, yw trwy ddiflannu o'r byd fel y gwnaeth fy nhad ... a chreu enw newydd, meddai Emyr.

– Fydd y Lleng Ffrengig ddim yn gofyn dim o hanes Emyr na beth yw ei enw. Yr unig gwestiwn fydd ganddyn nhw fydd beth mae am gael ei alw yn y Lleng Ffrengig, meddai Terry.

– A beth fydd hwnnw? gofynnodd Les.

– Enw Cymro arall wnaeth ymladd dros Ffrainc ... Yvain de Galles, atebodd Emyr, gan gamu allan o'r car yng nghwmni ei dad er mwyn rhannu sgwrs breifat cyn iddynt ffarwelio â'i gilydd.

Trodd Delyth at Les. Hwn oedd y cyfle cyntaf a gawsai'r ddau i gael sgwrs ers iddynt ddianc o *dacha* Boris Petrovich y noson cynt.

– Gobeithio dy fod ti'n sylweddoli na wna i fyth faddau iti am gymryd rhan ym mrwydr Poitiers. Ti sydd wedi achosi'r holl drafferth yma oherwydd dy benderfyniad i beidio â gwrando arna i, meddai Delyth yn chwyrn.

– Yw hynny'n meddwl fod popeth drosodd rhyngddon ni, Del? gofynnodd Les yn bryderus. – Rwy wedi rhoi'r gorau i'r busnes ail-greu brwydrau. Poitiers oedd fy mrwydr olaf ... ychwanegodd, yn crynu trwyddo.

– ... ond mae'n debyg y buest ti'n ddewr iawn wrth geisio achub bywydau Emyr a Terry, ychwanegodd Delyth gan bwyso ar draws ei sedd a rhoi sws glec ar foch Les. – Rwy'n credu dy fod ti'n haeddu un cyfle arall ... ond fe fydda i'n dy wylio fel barcud o hyn ymlaen. Deall?

– Deall, cadarnhaodd Les gan wenu o glust i glust wrth weld Terry'n dychwelyd i'r car.

– Cadwa mewn cysylltiad. Rwyt ti'n gwybod ble fydda i ... gwaeddodd Terry ar ôl ei fab gan ei wylio'n cerdded tuag at ei fywyd newydd yn y Lleng Ffrengig. Yno y byddai'n treulio'r pum mlynedd nesaf.

– Ydw ... fferm Belmondo ... atebodd Emyr, gan droi a cherdded tuag at fynedfa pencadlys y Lleng Ffrengig.

84.

Cyrhaeddodd Delyth, Les, Terry, Al a Rhian fferm Belmondo bedair awr yn ddiweddarach, ar ôl teithio am ddau gan milltir ar hyd priffyrdd de Ffrainc.

Penderfynodd Les, Delyth, Al a Rhian dderbyn cynnig Manon i aros am rai oriau. Gofynnodd Terry iddi a oedd hi'n chwilio am rywun i fuddsoddi 100,000 Ewro yn y fferm, sef yr arian roedd Ann Zelezki wedi ei roi yng nghyfri banc Terry yn ystod y pum mlynedd flaenorol.

– Croeso i fferm Belmondo, Terry O'Shea, meddai Manon.

– Na ... croeso i fferm Belmondo ... Sacha Distel, atebodd Terry, gan dynnu'i basbort Ffrengig o'i boced; y pasbort a fyddai'n sicrhau na fyddai heddlu Ffrainc byth yn dod o hyd i Terry O'Shea.

– Well i ni ddechrau trefnu i fynd yn ôl i Gymru, meddai Delyth. Roeddent wedi cytuno mai'r pethau gorau fyddai dal y fferi ymysg y Cymry fyddai'n dychwelyd adre ar ôl gêm Cymru yn erbyn Rwsia.

– Dy'ch chi ddim wedi clywed? holodd Manon gan chwerthin.

– Clywed beth? gofynnodd Les.

– Curodd Cymru Rwsia o dair gôl i ddim neithiwr. Maen nhw wedi cyrraedd rownd yr 16 olaf. Mi fydd yn rhaid ichi aros yma tan ddydd Sadwrn, mae gen i ofn.

85.

Ond roedd proffwydoliaeth Manon Belmondo'n anghywir. Bu'n rhaid i Delyth, Les, Rhian ac Al aros yn fferm Belmondo am un diwrnod ar bymtheg arall, wrth i Gymru guro Gogledd Iwerddon o un gôl i ddim ym Mharis, cyn goresgyn Gwlad Belg yn Lille yn rownd yr wyth olaf o dair gôl i un.

Treuliodd y chwech ohonynt y dyddiau hir yn helpu Manon ar y fferm ac yn mwynhau cwmni'i gilydd, gan deimlo'n ffyddiog na ddeuai neb ar eu traws yn y lleoliad anghysbell hwn ym mynyddoedd y Massif Central. Treuliodd Al a Rhian beth o'u hamser yn gweithio'n gyfrinachol ar ddarn o gelf.

Roedd hyd yn oed Les Welsh wedi dechrau edmygu ymdrechion dewr tîm pêl-droed Cymru yn y gystadleuaeth, cyn iddyn nhw golli o ddwy gôl i ddim yn erbyn Portiwgal yn y rownd gynderfynol.

– Mae'n rhaid imi gyfaddef fod ysbryd Owain Lawgoch gyda ni o hyd, meddai Les, gyda deigryn yn ei lygad, wrth iddo wylio'r chwaraewyr yn cymeradwyo'r cefnogwyr yn Lyon ar y teledu.

Gadawodd Les, Delyth, Al a Rhian fferm Belmondo yn gynnar y diwrnod ar ôl i Gymru golli i Bortiwgal. Awgrymodd Terry y byddai'n syniad da petai Les yn gadael ei gyfarpar canoloesol, gan gynnwys y cleddyf, yn fferm Belmondo, rhag ofn i'r awdurdodau archwilio'r garafán ar y ffordd adref.

Roedd Les eisoes wedi rhoi hanner y 200,000 Ewro oedd

ym mol y tegan draig goch i Al a Rhian yn fferm Belmondo, wedi i Terry wrthod cymryd ceiniog.

– Na. Mi dalodd modryb Emyr yn hael imi, gan adael digon o arian i edrych ar ôl Emyr petai busnesau Steffan yn mynd i'r gwellt. Mae gen i ddigon o arian i fyw arno'n gysurus. Ry'ch chi'ch pedwar yn haeddu pob ceiniog, meddai Terry.

– Cytuno'n llwyr, Terry. Cytuno'n llwyr, meddai Les.

– Yn hollol ... ychwanegodd Al.

– ... ond dwi ddim yn cytuno, meddai Delyth gan edrych yn wgus ar Les. – ... Duw a ŵyr pwy sydd wedi gorfod dioddef er lles Steffan Zelezki a Boris Petrovich. Na, Les. Dy'n ni ddim am wario ceiniog o'r arian brwnt hwn.

– Ond Delyth ... protestiodd Les, cyn tawelu pan gofiodd ei addewid i wrando ar Delyth o hynny allan.

– Deall, Les?

– Deall, Delyth.

– Cytuno'n llwyr 'da ti, Delyth, meddai Rhian.

– Ydyn ni? gofynnodd Al.

– Ydyn, Al. Dylai'r arian fynd i elusen, ychwanegodd Rhian.

– Deall, Al? gofynnodd Rhian, gan wincio ar Delyth.

– Deall, atebodd Al.

Aeth Les a Delyth yng nghwmni Al a Rhian i swyddfa Médecins Sans Frontières yn Clermont-Ferrand er mwyn trosglwyddo amlen gyda'r 200,000 Ewro ynddi i swyddog, cyn mynd â'r pâr ifanc i orsaf drenau Clermont-Ferrand. Ysgrifennodd Les gyfarwyddiadau clir a manwl ar ddarn o bapur a fyddai'n galluogi Al a Rhian i drwsio'r camperfan VW oedd ym maes gwersylla Toujours Lens ers tair wythnos bellach, cyn tynnu'r darn bach o fetel oedd yn angenrheidiol i'w thrwsio o boced ei siorts a'i roi i Al.

Ffarweliodd y pedwar â'i gilydd, a rhoddodd Rhian barsel yn nwylo Delyth a'i siarsio i beidio â'i agor nes iddynt gyrraedd Cymru.

Ni chafodd Les a Delyth unrhyw drafferth gyda'r awdurdodau wrth iddyn nhw baratoi i fynd ar y cwch fyddai'n eu cludo yn ôl dros y Sianel y noson honno. Roeddent wedi derbyn galwad ffôn gan Rhian yn dweud ei bod hi ac Al eisoes wedi dal y cwch o Calais i Dover.

Eisteddai'r tegan draig goch yn ufudd ar y sedd gefn, yn gwisgo gwregys diogelwch wrth i'r Citroën Xsara Picasso deithio yn ôl i gyfeiriad Cymru. Roedd Les Welsh yn un taer am gadw at y rheolau.

– Rwy wedi penderfynu rhoi enw i'n ffrind ni yn y sedd gefn, meddai, wrth i Delyth ac yntau deithio dros Bont Hafren ar y bore dydd Iau.

– Pa enw sydd gen ti mewn golwg, Leslie Welsh? gofynnodd Delyth.

– Owain.

– Pam Owain?

– Am fod ganddo law goch, wrth gwrs, atebodd Les.

Griddfanodd Delyth o glywed jôc wael Les a gwyddai, er gwaethaf ei hymdrechion, y byddai Owain Lawgoch wastad yn rhan o'u bywydau.

– Plis cer â fi adre, Les. Rwy am fynd adre, meddai Delyth wrth i'r ddau nesáu at dir Cymru.

– Ddim nes iti agor yr anrheg gawson ni gan Al a Rhian, meddai Les.

Agorodd Delyth y pecyn a gweld darn o bren wedi'i gerfio, a neges gan Rhian:

Ry'n ni'r Cymry wedi profi ein bod ni'n gryfach gyda'n gilydd yr haf 'ma. Gorau chwarae cyd chwarae amdani. Dyma ddarn sy'n dangos bod 'na linyn parhaol sy'n ymestyn o'r gorffennol i'r presennol ac sy'n clymu Yvain de Galles gyda'n harwyr newydd. Cariad mawr, Al a Rhian.

Cymru 3 Gwlad Belg 1

Gorffennaf y Cyntaf 2016

HENNESSEY
DAVIES
TAYLOR
WILLIAMS
GUNTER
LEDLEY
CHESTER
KING
ROBSONKANU
ALLEN
BALE
RAMSEY
VOKES